HTML 4
POUR
LES NULS

HTML 4 POUR LES NULS

Ed Tittel

HTML 4 pour les Nuls

Publié par
Hungry Minds, Inc.
909 Third Avenue
New york, NY 10022

Copyright © 2001 par Hungry Minds, Inc.

Pour les Nuls est une marque déposée de Hungry Minds, Inc.
For Dummies est une marque déposée de Hungry Minds, Inc.
Collection dirigée par Jean-Pierre Cano
Edition : Pierre Chauvot
Maquette et mise en page : Edouard Chauvot
Traduction : Michel Dreyfus

Edition française publiée en accord avec Hungry Minds, Inc.
© 2002 par Éditions First Interactive
33, avenue de la République
75011 Paris - France
Tél. 01 40 21 46 46
Fax 01 40 21 46 20
E-mail : firstinfo@efirst.com
Web : www.efirst.com
ISBN : 2-84427-321-1
Dépôt légal : 2ème trimestre 2002

Sommaire

* *

Cinquième partie : Plus loin avec HTML *189*

> 🟦 ✔ La création de mises en page attractives.
>
> 🟦 ✔ Le test et la mise au point des pages Web.

Si vous êtes capable d'indiquer à l'un de vos amis le chemin qu'il doit prendre pour aller de chez lui à votre domicile, vous pouvez certainement construire un document Web conforme à l'idée que vous vous en faites.

Comment utiliser ce livre

Le but de ce livre est de vous apprendre comment utiliser HTML 4 pour réaliser des pages Web de belle apparence, et de vous donner confiance en vous pour aller plus loin encore. Nous vous expliquerons ce qu'impliquent la conception et la réalisation de documents HTML susceptibles de présenter vos idées à toute la communauté mondiale du Web — si tel est votre souhait.

Tout ce qui est du code HTML sera représenté ici avec une police à pas fixe ayant cet aspect :

```
<head><title>Qu'y a-t-il dans un titre ?</title>/<head>
```

Lorsque vous saisissez au clavier des balises HTML ou ce qui s'y rapporte, souvenez-vous de taper exactement ce que vous avez sous les yeux entre les caractères "<" et ">", parce que c'est là que réside toute la magie de HTML. Outre ce détail (important), vous apprendrez comment organiser le contenu de vos pages, et nous vous dirons avec précision tout ce que vous devez savoir pour mêler les éléments HTML à votre propre texte.

A la mise en page de ce livre, certaines lignes HTML un peu longues ou des adresses de sites du World Wide Web (qu'on appelle des *URL*) pourront avoir été coupées et réparties sur deux lignes. Sur l'écran de votre ordinateur, ces lignes devront généralement apparaître d'un seul tenant, aussi gardez-vous bien d'y insérer un "retour chariot" (une frappe sur <Entrée>). Voici un exemple :

```
http://www/infomagic.austin.com/nexus/plexus/lexus/
     /sexus/c/est/une/bien/longue_ligne.html
```

Peu importe que vous tapiez les *balises* (ce qui se trouve entre "<" et ">") en minuscules ou en majuscules. Toutefois, méfiez-vous de certains caractères spéciaux comme nos signes diacritiques : é, è, ç, &, à, ù... pour lesquels vous devrez utiliser des codes particuliers appelés *entités de caractères*. Nous y reviendrons au Chapitre 12. Pour que votre code ressemble au plus près au nôtre, nous vous recommandons de taper toutes les balises en bas de casse (minuscules). Ceux d'entre vous qui ont eu entre les mains la précédente version de ce livre constateront que nous avons changé notre fusil d'épaule. C'est parce que les gardiens du Temple (nous voulons dire le *World Wide Web Comitee* [W3C], le comité qui édicte les spécifications du Web) en ont décidé ainsi, et que nous avons choisi de nous plier à leur diktat.

Trois suppositions présomptueuses

En écrivant ce livre, nous avons fait quelques hypothèses sur vous et ce que vous savez faire, ami lecteur :

- ✓ Vous êtes capable d'allumer et d'éteindre votre ordinateur.
- ✓ Vous savez vous servir d'une souris et d'un clavier.
- ✓ Vous voulez réaliser des pages Web pour vous amuser, pour gagner de l'argent ou parce que votre patron vous y oblige.

En outre, nous avons supposé que vous disposiez d'un accès à l'Internet et que vous aviez installé un navigateur sur votre système. Si vous travaillez sous Windows 32 bits, pas de problème, Internet Explorer (de Microsoft) aura été automatiquement installé lorsque vous avez installé Windows.

Inutile d'être un expert en logique ou un sorcier de la programmation pour écrire des pages Web. Vous n'avez même pas besoin de savoir ce qui se passe à l'intérieur de votre ordinateur. Si vous êtes capable d'écrire une phrase et que vous sachiez faire la différence entre un en-tête et un paragraphe, vous pouvez rédiger et composer une page Web. Si vous avez de l'imagination et le sens de la communication, vous possédez déjà de sérieux atouts pour réussir. Tout le reste n'est que détails et c'est à les maîtriser que nous allons vous aider.

Comment est organisé ce livre ?

Ce livre se compose de sept parties principales agencées comme ces poupées russes qu'on appelle *matrioshka*. Chacune d'elles contient plusieurs chapitres qui, eux-mêmes, se décomposent en sections. Chaque fois que vous aurez besoin d'aide ou d'informations, il vous suffira d'attraper le livre et de l'ouvrir au bon endroit. Le sommaire et l'index vous y aideront.

Voici un aperçu de ce que vous allez trouver :

Première partie : Bien démarrer avec HTML

L'entrée en scène se compose d'une présentation générale de ce qu'est le World Wide Web et des logiciels utilisés pour explorer ses trésors. On y explique aussi comment fonctionnent le Web et le langage HTML et ce qui se passe du côté du serveur. Les documents HTML (que l'on appelle aussi *pages Web*) sont les unités de base à partir desquelles est organisée une présentation Web. Vous verrez comment HTML permet d'enrichir la présentation du texte. Enfin, vous écrirez votre première page Web.

Deuxième partie : Le mécanisme des pages Web

HTML parsème le texte ordinaire de chaînes de caractères particulières appelées *balises*. Ce sont ces balises qui indiquent au navigateur comment il doit présenter le texte qu'il reçoit. Nous vous expliquerons de quelle façon elles interviennent pour modifier la présentation du texte. Une fois que vous aurez terminé la lecture de cette deuxième partie, vous aurez une idée claire de ce qu'est HTML et de ce qu'on peut faire avec.

Troisième partie : Mise en forme de vos informations

Dans cette partie, nous allons reprendre un par un les éléments que nous avons vus dans la deuxième partie, et étudier plus en profondeur leur syntaxe et leur structure afin de vous aider à concevoir et à réaliser des pages Web dignes d'un pro. Vous verrez aussi comment utiliser certains contrôles de présentation pour réaliser des pages complexes. Après avoir vu quelles sont les différentes formes de listes, nous terminerons cette partie en vous montrant comment inclure dans vos pages toutes sortes de symboles qui viendront s'afficher dans votre texte.

Quatrième partie : Mise en forme de votre structure

Dans cette partie, nous allons ajouter de la sophistication et de l'élégance aux éléments de base traités dans la troisième partie.

Lorsque vous aurez lu les chapitres qui composent cette partie, vous serez en mesure de réaliser des pages Web complexes de différentes sortes. Vous saurez aussi comment organiser votre texte et vos images à l'aide de tableaux, comment créer et utiliser des *images réactives* qui sont des outils de navigation graphiques, et comment répartir vos informations dans plusieurs cadres (*frames*) indépendants dans la fenêtre du navigateur afin d'améliorer l'accès de vos pages à vos visiteurs.

Cinquième partie : Au-delà de HTML

Ici, nous allons aller un peu plus loin que HTML 4 et passer en revue quelques-unes des facilités offertes aux auteurs Web. Parmi celles-ci, les formulaires, qui permettent un véritable échange d'informations entre le visiteur et le serveur Web, et les feuilles de style, grâce auxquelles la mise en page peut s'effectuer d'une manière à la fois plus souple et plus riche, puisqu'elles permettent de contrôler les polices de caractères, leur taille et leur couleur ainsi que le positionnement des différents éléments contenus dans une page.

Sixième partie : Les dix commandements

Dans cette avant-dernière partie du livre, nous avons essayé de présenter en résumé l'essentiel de tout ce que nous avons vu jusque-là. Nous allons passer en revue tout ce qu'on doit faire et tout ce qu'on doit éviter. Nous évoquerons les erreurs les plus fréquemment commises de façon que vous puissiez les corriger avant que quelqu'un d'autre vous en fasse le reproche.

Septième partie : Les Annexes

Ces annexes traitent de sujets qui entreraient difficilement dans la classification que nous venons d'établir. L'Annexe A est une liste alphabétique des balises HTML, agencée pour en permettre un accès rapide et facile. L'Annexe B est un glossaire rassemblant les définitions des termes techniques qui apparaissent dans ce livre. L'Annexe C est une liste d'outils logiciels en rapport avec HTML qui, du moins le pensons-nous, devraient vous être utiles.

Pictogrammes utilisés dans ce livre

 Ce pictogramme attire votre attention sur de petites astuces qui faciliteront la réalisation des pages Web et les rendront plus lisibles aux internautes.

 Il s'agit là d'informations utiles à ne pas oublier.

Première partie

Bien démarrer
avec HTML

"Excellente page, Suzy. Mais je pense qu'il faudrait reconsidérer le choix du lien http://www.lycanthropie.com."

Chapitre 1

Alors, HTM
qu'est-ce que

Dans ce chapitre :

▶ Les concepts fondamentaux de HTML.
▶ A quoi servent les liens ?
▶ De l'hypertexte à l'hypermédia.
▶ Du texte et des images.
▶ Le multimédia.

*L*e secret qui se cache derrière HTML
a pas de secret ! Le code HTML est v
barre d'outils de votre navigateur. Les na
tolérants et pardonnent bien des erreurs
des balises. Au pire, lorsqu'ils ne compre
se contentent de l'afficher tel quel. Cepen
vigilant dans la composition de ses pages
sont pas les mêmes pour tous les navigate
sera le navigateur plus ou moins folkloriq
visiteurs.

Dans ce chapitre, nous allons vous prése
concepts fondamentaux de HTML et de l'

Les bases de HTML

N'OUBLIEZ PAS Ce nom même, "HTML" (langage hypertex
concepts de base qui ont présidé à la nais
si populaire :

> ✔ **Hypertexte**. C'est une façon de créer des documents multimédias et de réaliser des liens entre ces documents.
>
> ✔ **Langage à balises**. C'est une méthode qui permet d'indiquer le formatage des éléments en plaçant aux bons endroits du texte des balises décrivant la structure et le comportement d'un document.

La syntaxe et les règles d'utilisation de HTML vous seront dévoilées au Chapitre 4.

Les liens

Ce qui fait l'agrément du langage HTML, ce sont les liens (*links*). Un *lien* est constitué par un mot, une suite de mots ou une image repérés à l'intérieur du document HTML par des balises particulières et affichés d'une façon spéciale. Ces liens hypertextes sont la raison d'être du Web et son support, puisque c'est grâce à eux que la toile d'araignée est tissée sur le monde entier. D'un clic de souris sur un lien, vous passez d'une page à une autre, qu'elle soit située sur le même site Web ou sur un site différent. La Figure 1.1 présente quelques liens proposés sur son site Web par l'éditeur français de ce livre, First Interactive.

En général, les liens sont soulignés en bleu quand il s'agit de mots ou de groupes de mots. Lorsque ce sont des images, elles sont alors entourées d'un liséré de couleur.

Promenade dans les documents

Un lien hypertexte peut vous amener dans une autre partie d'une même page, dans une autre page du même site, ou dans une page située ailleurs, quelque part dans le vaste monde. L'existence des liens supprime les limitations inhérentes aux documents imprimés telles que nous les connaissons depuis l'invention de l'imprimerie. Il devient ainsi plus simple d'aller d'une page à l'autre ou d'un site Web à un autre que de feuilleter un livre ou d'aller en chercher un autre sur les rayons de sa bibliothèque.

Promenade entre des documents

La même technique de liens s'applique, qu'il s'agisse de liens à l'intérieur d'une même page ou de liens d'un site Web vers un autre. La

Dans cette p

Cette partie vous propose une intro langage du Web, et vous explique l son fonctionnement. Nous vous ferons fa coulisses d'une page ordinaire, et vous fi comment concevoir et réaliser votre pre

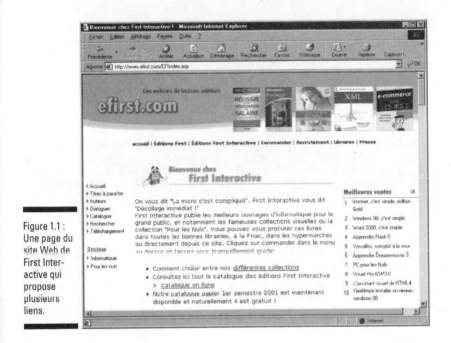

Figure 1.1 :
Une page du
site Web de
First Inter-
active qui
propose
plusieurs
liens.

seule difficulté consiste à connaître l'adresse exacte (appelée *URL —
Uniform Resource Locator*, c'est-à-dire "adresse uniformisée de
ressource") du site à atteindre.

Pour créer un lien externe sans erreur, la meilleure façon d'opérer est
de vous connecter sur le site Web qui vous intéresse et de pratiquer le
couper-coller entre l'URL de la page affichée dans votre navigateur et
la balise de votre page Web en cours de rédaction qui devra vous y
amener.

Une URL peut référencer différents protocoles et services présents sur
l'Internet, et pas seulement des pages Web. Par exemple : serveurs de
fichiers (FTP), forums de news (Usenet), messageries électroniques...

Du texte au multimédia et au-delà

Parler d'hypertexte à propos d'images ou de fichiers audio, c'est
commettre un abus de langage. Mieux vaut appeler ça de l'*hypermédia*,
puisque les supports (les *médias*) sont différents. Sur le Web, il existe
quelques formats d'image standards. Pour ce qui concerne les sons,

vous devez avoir le matériel (la carte audio) et les logiciels (les *pilotes*) nécessaires. Lorsque le navigateur reçoit une page Web, c'est le texte HTML qui arrive en premier, avec, çà et là, des garde-place destinés à recevoir le contenu des fichiers multimédias. Il commence donc à construire la page que vous attendez de voir s'afficher, page dans laquelle se trouvent des espaces vides qui seront garnis du contenu approprié lorsque le navigateur aura appelé les pilotes qui vont prendre en charge les autres éléments.

En attendant, rien ne vous empêche de commencer à lire le texte proprement dit. Pendant ce temps-là, les fichiers multimédias arrivent progressivement, et le navigateur les aiguille vers le *plugin* ou l'*assistant* selon leur type. Le Tableau 1.1 vous présente une liste des types de fichiers les plus couramment utilisés sur le Web.

Tableau 1.1 : Formats multimédias utilisés sur le Web.

Extension	Format	Explication
Images		
.GIF	Graphics Interchange Format	Format d'image compressé créé par CompuServe et supporté par de nombreuses plates-formes. Permet de créer des images entrelacées (affichées graduellement).
.JPEG, .JPG	Joint Photographic Experts Group	Format d'image encore plus compressé, mais avec une légère perte d'informations. Egalement reconnu par la plupart des plates-formes.
.PDF	Portable Document Format	Format créé par Adobe pour les documents multiplates-formes. Il permet de représenter des documents complexes. Le logiciel de lecture s'appelle Acrobat.
Sons		
.RA, .RAM ou .RM	RealPlayer	Interprété par l'assistant RealPlayer. Peut aussi contenir de la vidéo.
.MID		Format de sons exploitant la fonctionnalité de synthétiseur de la carte audio.

Tableau 1.1 : Formats multimédias utilisés sur le Web (suite).

Extension	Format	Explication
Vidéo (animations)		
.AVI	Audio Video Interleaved	Format créé par Microsoft qu'on trouve sur beaucoup de CD-ROM.
.FLI	Flick	Format d'animation créé par Autodesk Animator.
.MOV	Quick Time	Format d'animation sonorisée créé par Apple qu'on trouve principalement sur les Macintosh. Existe aussi pour Windows.
.DCR	Director	Version animée des fichiers multimédias créés par Director (Macromedia).
.MPEG, .MPG	Motion Picture Experts Group	Standard d'animation apparenté au JPEG et doté de possibilités de compression à taux variable.

Vous trouverez des informations sur les formats de ces fichiers et les programmes qui les utilisent en faisant une recherche par http://www.excite.com, http://ask.com et http://about.com, avec comme clé de recherche "*common Internet file formats*" (formats de fichiers courants sur l'Internet) :

   🖙 **Fichiers couramment rencontrés sur l'Internet.** Il s'agit d'une liste annotée de tout ce qui concerne les formats de son, d'image et, en général, de tout ce qui est relatif au multimédia avec des liens pointant sur la façon de les utiliser :

   http://til.info.apple.com/techinfo.nsf/artnum/n24464

   🖙 **Fichiers d'image.** Site géré par Martin Reddy à l'université d'Edimbourg. Contient "tout ce que vous pouvez souhaiter savoir mais n'avez jamais osé demander" sur ce sujet ainsi que des liens vers d'autres sources :

   http://www.dcs.ed.ac.uk/%7Emxr/gfx/

L'hypermédia et les assistants

Lorsqu'une page Web contient autre chose que du texte ou des images en format GIF ou JPEG, le navigateur est généralement incapable de traiter cet objet. Si vous ne disposez pas d'un programme approprié qui le reconnaisse (un *assistant* ou un *plugin*), le navigateur vous proposera d'ignorer l'objet ou de le sauvegarder sur disque, vous permettant ainsi de le récupérer ultérieurement pour prendre connaissance de son contenu.

Le menu des options du navigateur permet de contrôler la présence des assistants et des plugins. Lorsque le navigateur ne trouve pas d'application pour prendre en charge un fichier inconnu, il propose à l'utilisateur de le sauvegarder sur disque.

Par exemple, RealPlayer est un assistant audio courant qu'on peut trouver sur beaucoup de navigateurs, particulièrement sur les PC tournant sous Windows. Au moment de son installation, une association est automatiquement établie entre ce logiciel et le type de fichiers qu'il peut interpréter ; par exemple : ceux qui ont pour extension .WAV.

Pour en savoir plus à ce sujet, vous pouvez consulter les sites Web suivants :

```
http://tucows.myriad.net/acc95.html
http://wwwhost.cc.utexas.edu/learn/use/helper.html
```

Voici quelques indications sur les assistants les plus utilisés sous Windows :

- ✔ **Fichiers d'image.** LViewPro (fichiers PCX, GIF, BMP, JPG, etc.). Possède en outre quelques possibilités d'édition et de retouche d'image.

- ✔ **Fichiers vidéo.** Installez QuickTime for Windows (fichiers Quick Time), RealPlayer ou MPEGplay (fichiers MPEG).

- ✔ **Fichiers PostScript.** Le mieux est d'utiliser un logiciel du GNU appelé Ghostview, associé à Ghostscript. Ou d'avoir une imprimante supportant directement le format PostScript !

Un bon choix de plugins et d'assistants contribuera à améliorer les performances de votre PC pour tout ce qui concerne les merveilles proposées sur le Web.

Le choc des images

Il est hors de doute que les images font l'attrait principal du Web. Cependant, ce "supplément d'âme" n'est pas gratuit ! Il est très facile de se laisser emporter par la griserie de l'image et d'en glisser à tout propos et même hors de propos dans ses présentations. C'est pourquoi il est bon de se rappeler deux points importants :

✔ **Tous ceux qui chargent vos pages n'affichent pas nécessairement vos images.** C'est en général parce qu'ils ont décidé, pour gagner du temps, de désactiver le chargement des images. D'un autre côté, dix pour cent de la population souffre d'achromatopsie à des degrés divers, ce qui l'empêche de bien percevoir les couleurs.

✔ **Les fichiers d'image, même compressés, occupent beaucoup de place.** Leur temps de transfert sur le réseau est donc loin d'être négligeable. Ceux qui sont les plus pénalisés sont alors ceux qui sont raccordés à l'Internet par un modem. Tout le monde ne dispose pas encore de liaisons à haut débit telles que l'ADSL ou le câble.

Il peut arriver que les images soient essentielles pour bien apprécier une page. Ce sera le cas, par exemple, si on veut montrer un diagramme ou une courbe. Alors, leur emploi se justifie, mais le résultat dépendra, pour l'utilisateur, de la largeur de sa bande passante, c'est-à-dire, en définitive, du type de connexion qu'il utilise. Voici quelques règles empiriques à observer dans la composition d'une page Web :

✔ **Restez simple et utilisez, dans la mesure du possible, de petites images.** Ainsi, la taille réduite des images ne ralentira pas sensiblement l'affichage de la page.

✔ **Si vous devez faire appel à une grande image, commencez par en proposer une réduction : une *vignette*.** Celle-ci constituera un lien qui permettra à l'utilisateur de la voir en vraie grandeur au prix d'un simple clic de souris.

✔ **N'encombrez pas vos pages d'un désordre d'images.** Pas plus d'une demi-douzaine par écran, au grand maximum. De cette façon, vous faciliterez la navigation et ne distrairez pas inutilement l'attention de vos lecteurs. La plupart de ces images pourraient consister en de petites icônes jouant le rôle de repères de navigation.

La tentation est parfois grande de violer ces règles. Ne vous fiez pas alors à votre seul jugement, mais demandez à d'autres ce qu'ils en pensent. Souvenez-vous que tous ceux qui vont venir visiter vos pages ne verront pas vos images dans les mêmes conditions. Parfois même, ils ne les verront pas du tout. Aussi faites en sorte que l'absence d'images ne compromette pas le message que vous tentez de faire passer.

Règles d'utilisation du multimédia

Ce que nous venons de dire pour les images a encore plus d'importance pour le multimédia. Si les fichiers d'image sont bien plus grands que les fichiers de texte, les fichiers de son le sont (!) bien davantage encore. En outre, alors que les images sont statiques, les sons demandent votre constante attention, car ils sont tributaires de l'écoulement du temps.

Plutôt que d'utiliser directement des fichiers de son ou d'image, envisagez de recourir à Java ou à Flash qui sont des outils logiciels interactifs rapides de plus en plus utilisés. La plupart des navigateurs actuels reconnaissent Java et savent l'interpréter pour afficher des animations ou produire certains effets spéciaux. Flash est le nom donné par son créateur, Macromedia, au plugin qui sert à afficher les animations réalisées avec Director.

Toutefois, avant de vous attaquer à ces techniques sophistiquées, commencez par bien maîtriser HTML. Vous vous sentirez alors plus solide pour affronter le multimédia.

Chapitre 2

Qu'y a-t-il
dans une page ?

* *

Dans ce chapitre :
▶ Les principes de la mise en page.
▶ Définissez vos motivations.
▶ Mettez-vous à la place du lecteur.
▶ Canalisez le flot des informations.

* *

*P*our bien comprendre HTML, toute l'astuce consiste à savoir séparer le texte (le contenu) des balises (les commandes de contrôle) dans le fichier HTML. Enfin, si c'est vrai pour les Anglo-Saxons, cela l'est beaucoup moins pour nous autres, Européens, à cause de nos caractères diacritiques. On ne peut pas dire, en effet, que le texte ne consiste qu'en de l'ASCII pur et dur. Les deux exemples suivants, le premier en anglais, l'autre en français, vous en convaincront :

```
Building good Web pages requires that you not only understand
the distinction between content and controls but also use it
for its best effects.
```

```
Pr&egrave;s du ch&acirc;teau, &agrave; c&ocirc;t&eacute; d'une
haie de tro&egrave;nes o&ugrave; g&icirc;t un &eacute;l&egrave;ve,
le ma&icirc;tre s'aper&ccedil;oit que l'ombre des ch&ecirc;nes
n'abrite plus sa Citro&euml;n.
```

Que représente ce charabia ? Tout simplement le texte ci-dessous, en tenant compte de la représentation des caractères diacritiques par des entités :

> Près du château, à côté d'une haie de troènes où gît
> un élève, le maître s'aperçoit que l'ombre des chênes
> n'abrite plus sa Citroën.

Cela mis à part, le texte reste du texte, et on peut le définir comme étant tout ce qui n'est pas placé entre "<" et ">". Le reste, ce sont les *balises*. Celles-ci ont pour rôle essentiel, comme nous l'avons déjà dit, de préciser comment doit s'effectuer l'affichage du texte.

On pourrait décrire ainsi ces deux composantes de HTML :

- **Les balises.** Ce sont des *marqueurs* qui, placés aux bons endroits dans un document HTML, définissent comment traiter le contenu.

- **Le contenu.** C'est la partie intéressante de votre page. Il est composé principalement de texte et d'images.

Les arcanes de la mise en page

Une bonne *mise en page* consiste à placer de façon harmonieuse les paragraphes, les titres, les tableaux..., et à bien gérer leurs dispositions respectives, c'est-à-dire l'espace vide qui les entoure. Souvenez-vous des livres scolaires sur lesquels vous vous endormiez ou des notices d'emploi qui vous paraissent si incompréhensibles. De nos jours, il n'existe plus d'ouvrages d'enseignement qui ne soient abondamment illustrés, n'usent d'une typographie variée et ne savent soigner leur mise en page.

Une page agréable à lire, au contenu riche et intéressant, parviendra sans trop de mal à se démarquer des autres. Les visiteurs y reviendront, le bouche à oreille communiquera son adresse, et les autres auteurs Web souhaiteront placer des liens vers elle dans leurs propres pages.

Qu'essayez-vous de dire ?

Comme la plupart des langages à balises, HTML est plutôt simple et assez facile à apprendre. Malheureusement, cette facilité induit une irrésistible tentation de se lancer tout de suite à l'aventure sans avoir bien appris et compris les bases du langage. Quiconque dispose d'un simple éditeur de texte s'imagine qu'il lui sera facile de construire en moins de deux, à la volée, la "page du siècle". Evitez de tomber dans ce piège, suivez notre conseil et réfléchissez avant d'agir.

Quel est votre lectorat ?

De la réponse à cette question va généralement découler l'agencement de vos pages Web. Il faut avoir une motivation précise pour réussir à retenir l'attention. Si peu vous importe qui viendra visiter votre site Web, sachez que vous n'êtes pas le seul dans ce cas. Trop de *pages personnelles* du Web ne sont guère que des "pages de vanité", au contenu brouillon et bouillonnant. Croyez-vous que ça va intéresser beaucoup de gens ? Ceux qui tomberont par hasard sur de telles pages se garderont bien d'y revenir et les oublieront bien vite.

Si vous avez réellement des raisons valables de construire un site Web et des informations suffisamment intéressantes à y présenter, vous êtes à deux doigts de pouvoir faire quelque chose qui sorte de l'ordinaire. Voici les questions que vous devrez vous poser :

- ✔ Quelle catégorie de visiteurs est-ce que je veux atteindre ?

- ✔ A quels types de messages sont-ils susceptibles de mieux répondre ?

- ✔ Comment présenter mon message dans les meilleures conditions ?

Partez d'une idée assez générale et essayez de mieux la définir, que ce soit dans le cyberespace ou dans le monde réel. Observez vos lecteurs potentiels et écoutez-les. Quand vous aurez décelé leurs centres d'intérêt, vous pourrez deviner leurs besoins et percevoir ainsi les facteurs qui pourront les attirer. Vous devrez leur procurer des informations solides et utiles afin qu'ils en redemandent.

Allez de l'objectif vers le contenu

Il est difficile de concevoir des pages de grande taille contenant des idées d'une certaine complexité. Cela n'a d'ailleurs rien d'étonnant, et la morale qu'on en retire est qu'il faut savoir se restreindre. C'est le but à atteindre qui doit vous guider dans l'élaboration du contenu. Nous allons essayer de vous présenter quelques notions sur la façon de concevoir une bonne page Web.

Organisez votre contenu

Quel que soit leur mode d'expression, ceux qui écrivent ont, de tout temps, suivi certaines règles pour organiser leur message. Parmi celles-ci, l'une des plus importantes est d'esquisser un plan d'ensemble avant de se jeter à corps perdu dans l'écriture proprement dite, que ce soit avec une plume d'oie ou un éditeur de texte. Il est ainsi plus facile de percevoir la hiérarchisation des différentes rubriques qui vont composer l'ensemble du document. Pour y parvenir, voici quelques règles élémentaires :

- ✔ Faites une liste des sujets et des éléments les plus importants qui devront figurer dans votre document.

- ✔ Identifiez les relations qui existent entre ces sujets principaux. Réfléchissez à d'autres sources d'informations susceptibles d'apporter de l'eau à votre moulin. Il en existe certainement déjà sur le Web.

- ✔ Modifiez expérimentalement l'ordre d'exposition de vos différentes rubriques jusqu'à trouver celle qui vous semble la mieux appropriée.

- ✔ Essayez de voir quels sont les éléments multimédias qui pourraient renforcer la présentation de vos idées tout en vous gardant de tout excès dans ce domaine.

- ✔ Voyez quels repères visuels pourraient faciliter la navigation de vos visiteurs dans votre site.

- ✔ Considérez cette ébauche comme un prototype sur lequel vous reviendrez au fur et à mesure qu'avancera la construction de votre page Web.

Précisez vos motivations

Au cours de la conception d'une présentation sur le Web, on peut isoler quatre thèmes : informer, éduquer, persuader, questionner.

- ✔ **Si vous voulez informer**, vous serez moins enclin à parsemer votre document d'images pimpantes et attractives et plus soucieux de diriger vos lecteurs vers les points essentiels que vous voulez leur faire connaître.

- ✔ **Si vous voulez persuader ou vendre**, essayez d'accrocher l'attention du lecteur avec des éléments visuels et des témoigna-ges frappants.

- ✔ **Si vous voulez poser des questions**, que ce soit sur des problèmes sociaux ou politiques, élevez le débat, expliquez-vous de façon aussi succincte que possible et proposez des liens vers d'autres sites de discussion ou des pages traitant de sujets du même ordre.

Mettez en valeur les informations importantes

Votre page doit mettre en valeur les points clés de votre message tout en évitant de donner la migraine à vos visiteurs. Pour cela, faites ressortir les idées essentielles ou les messages qui sont pour vous prépondérants, et placez les plus importants en tête. En suivant soigneusement cette méthodologie, vous verrez se dessiner l'essentiel de votre contenu et les relations d'interdépendance apparaîtront clairement.

Facilitez la navigation dans votre site

L'information est comme l'eau : elle a une tendance naturelle à se répandre et, à moins que vous ne la canalisiez soigneusement, elle le fait de façon désordonnée. Pour éviter cette dispersion, utilisez des repères bien identifiés pour faciliter la navigation du lecteur non prévenu, perdu dans l'abondance de vos informations.

Créer une telle superstructure, c'est un peu comme donner un ouvre-boîtes à vos visiteurs, ouvre-boîtes qui leur permettra d'atteindre votre contenu et de s'en repaître. Tous les documents ne demandent pas le même degré de structuration, mais la plupart — et tout spécialement les plus longs — s'en trouveront bien.

Voici quels sont les éléments susceptibles de vous aider et de vous guider dans la création de cette superstructure :

- ✔ **La table des matières.** Ici, l'hypertexte va vous faciliter la création de liens qui amèneront directement le lecteur à n'importe quel point d'un document depuis sa table des matières. C'est un véritable outil de navigation.

- ✔ **Présentation et outils de navigation uniformisés.** Pour améliorer la lisibilité de votre site, mettez en place une structure uniforme et des repères visuels de navigation qui seront autant de panneaux indicateurs pour vos lecteurs : petites icônes, boutons à cliquer, textes d'appel de liens, etc. Une présentation uniformisée de vos pages donnera à votre site Web un *look and feel* personnalisé.

- ✔ **Index ou moteur de recherche.** Aidez votre lecteur à localiser des mots clés ou des sujets particuliers qui lui permettront de faire le meilleur usage de votre document. Comme votre contenu est *en ligne* et accessible, vous pouvez généralement remplacer les fonctionnalités d'un index par un moteur de recherche interne approprié à vos pages Web.

✔ **Un glossaire.** Si vous traitez d'un sujet dans lequel les termes techniques abondent, pensez à proposer un glossaire.

Captez l'attention de votre auditoire

Il existe d'innombrables méthodes pour retenir l'attention de son auditoire. Cependant, ce qui est efficace sur une scène ne l'est pas nécessairement sur le Web. Vos visiteurs vous ont déjà accordé un début d'attention au moment où ils ont chargé votre page. Alors, récompensez-les en évitant de les brutaliser et en les prenant plutôt par la douceur. Proposez-leur par exemple quelque chose auquel ils ne s'attendent pas.

Evitez l'utilisation démesurée de moyens audiovisuels dans toutes vos pages Web. Ne serait-ce que parce que tous vos lecteurs ne sont pas équipés avec le matériel nécessaire pour la reproduction des sons.

Ne décevez pas vos visiteurs

Une fois qu'ils en seront là, amenez tout doucement vos visiteurs vers le contenu réel de votre site Web. L'ossature du document doit transparaître. Si vous avez des pointeurs vers les parties essentielles de votre présentation, faites en sorte qu'ils soient bien apparents et faciles à distinguer du restant de la page. Pour cela :

✔ Votre page d'accueil doit être à la fois simple et élégante.

✔ Utilisez des phrases courtes, directes.

✔ Centrez votre exposé sur votre sujet principal.

✔ Tirez profit de l'ossature de la page pour mettre l'accent sur son contenu.

✔ Vous pouvez, si votre document est long, prévoir une page "A propos de..." qui soit une sorte de résumé facilitant la compréhension de la structure de l'ensemble.

Que doivent-ils retenir ?

Tout auditoire ne retient que dix pour cent, au mieux, de ce qu'on vient de lui exposer. Lorsque vous concevez une présentation Web, demandez-vous à quel endroit doivent se situer ces dix pour cent. Cela vous aidera à focaliser l'attention de vos lecteurs sur ce qui est réellement important.

En outre, la plupart des lecteurs ne peuvent mémoriser qu'une quantité limitée d'informations. Se souvenir de dix pour cent des concepts énoncés dans un document ne veut pas dire qu'on se souviendra de dix pour cent de son contenu. C'est pourquoi il ne faut pas essayer d'incorporer un trop grand nombre de notions dans un même document. Evitez de vous disperser et ne perdez pas de vue l'essentiel au profit de l'accessoire.

Ne soyez pas trop ambitieux et ne cherchez pas à épuiser votre sujet dans un seul document. Des informations bien organisées autour d'un sujet principal seront plus facilement mémorisées qu'un ensemble d'idées dispersées et désorganisées.

Abordons la mise en page

Vous êtes maintenant prêt à découvrir les éléments qui constituent un document HTML. Certains vous paraîtront familiers, parce que beaucoup d'entre eux font partie intégrante de tout document écrit bien conçu. D'autres vous sembleront plus inhabituels à cause de la terminologie utilisée ou du concept de l'hypertexte, nouveau pour vous, car ils ne correspondent pas à ce que vous avez l'habitude de rencontrer.

Le balisage du texte

Il se pratique à l'aide de *balises*. C'est ce qui distingue un document ordinaire d'un document HTML. Une *balise* est un mot clé enfermé entre deux chevrons : "<" et ">". Le début d'un document, par exemple, est signalé par un marqueur `<head>` (en-tête). La plupart des balises vont par paire : une au début (dite "initiale") ; l'autre à la fin (dite "terminale"). On dit parfois qu'on a affaire à un *conteneur*. La balise terminale est la même que celle du début, à ce détail près que le mot clé y est précédé d'un slash "/". Par exemple, dans un conteneur `<head>` ... `</head>`, la balise initiale est `<head>` et la balise terminale `</head>`.

Certaines balises initiales renferment des valeurs particulières, appelées *attributs*, qui précisent l'action que va effectuer la balise. Par exemple, dans une balise qui joue le rôle d'un pointeur vers des éléments d'informations extérieurs à la page, l'un des attributs précise l'adresse (l'URL) de ces informations sur le Web. D'autres attributs permettront d'indiquer si le texte d'un paragraphe doit être centré ou sur quelle marge il doit être aligné.

Certaines balises ne demandent aucun attribut ; d'autres en demandent plusieurs. Il existe des attributs obligatoires alors que d'autres sont facultatifs. Certains attributs concernent les *liens* ; on les appelle *ancrages*. Ce sont eux qui permettent de relier entre elles des pages Web non nécessairement situées sur le même serveur.

Le titre

Chaque document HTML doit avoir un titre principal qui permet à ses lecteurs de l'identifier. Voici quelques aspects du rôle qu'il est appelé à jouer :

- ✔ Identifier une page Web particulière.

- ✔ Identifier le document dans des listes de signets (*bookmarks*). Microsoft les appelle *favoris*.

- ✔ Faciliter le travail des robots espions qui fouillent inlassablement le monde du Web à la recherche de nouveaux documents à indexer pour leurs catalogues et bases de données. Le titre doit résumer très brièvement le sujet du document HTML.

- ✔ Vous aider à gérer votre propre catalogue de présentations.

Lorsque vous affichez une page Web, le titre vient généralement s'afficher dans la barre de titre de la fenêtre comme vous le montre la Figure 2.1.

Les étiquettes

Les étiquettes (*labels*) ne sont pas une nécessité, mais c'est un bon outil d'organisation. Elles aident à identifier les sections ou les centres d'intérêt d'un document et facilitent la navigation dans le document, tout spécialement quand elles sont utilisées comme destinations de liens. Plus de détails au Chapitre 5.

Les liens : texte, hypertexte et le reste

Un *lien* est une association à sens unique entre une source et une cible. Il peut revêtir quatre formes :

- ✔ **Lien intradocument**. Il permet de se déplacer d'un endroit à l'autre d'un même document.

- ✔ **Lien interdocument**. Il permet d'aller d'un document à un autre.

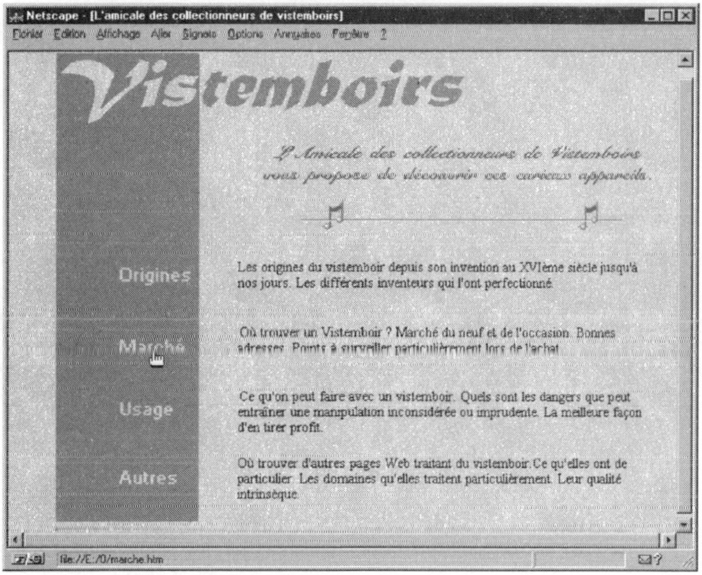

Figure 2.1 :
Le titre d'un
document
HTML
s'affiche
dans la barre
de titre de la
fenêtre.

✔ **Lien vers un programme** *agent*. Agissant pour le compte du serveur Web, il constitue un moyen de gérer une demande ou de fournir un service.

✔ **Lien vers un objet non textuel.** C'est de cette façon qu'on peut accéder à une image, un son, une animation ou toute autre sorte d'objet qui ne soit pas du texte.

Cessez de penser en deux dimensions !

Il est difficile de s'abstraire du mode de pensée linéaire qui est le nôtre, entretenu depuis des centaines d'années par la pratique du texte imprimé. Sous leur forme habituelle, les livres ont des usages bien définis mais les concepteurs de pages Web, consciemment ou non, doivent combattre cette idée de calquer la structure de leurs documents sur celle des livres. Mais certaines pages demandent à être lues séquentiellement. Par exemple, celles qui présentent une action narrative construite sur les éléments précédents. La Figure 2.2 illustre ce type d'organisation linéaire.

L'hypertexte vous offre la possibilité de cheminer vers l'avant comme vers l'arrière. Vous pouvez donc "tourner les pages" dans les deux

Figure 2.2 :
Chaînage de
pages
destinées à
être lues
séquentiel-
lement.

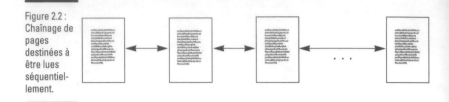

sens. D'autres liens peuvent venir enrichir cette structure simple :
table des matières, liens vers d'autres documents HTML, vers un
glossaire, vers d'autres pages du document, le tout sans perturber
cette organisation rassurante qui ressemble à celle d'un livre.

Si vous avez pris l'habitude de construire des documents à partir d'un
plan, une approche hiérarchisée sera sans doute la meilleure. La
plupart des plans s'articulent autour d'idées générales, puis suivent
des divisions successives qui permettent d'en affiner les détails. La
Figure 2.3 vous présente un modèle hiérarchisé à quatre niveaux.

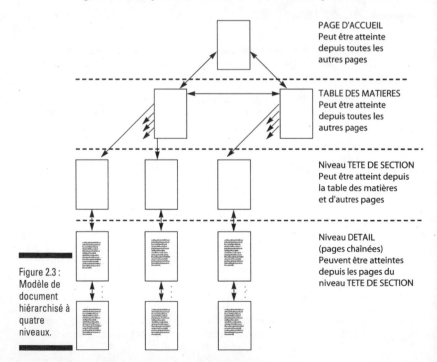

PAGE D'ACCUEIL
Peut être atteinte
depuis toutes les
autres pages

TABLE DES MATIERES
Peut être atteinte
depuis toutes les
autres pages

Niveau TETE DE SECTION
Peut être atteint depuis
la table des matières
et d'autres pages

Niveau DETAIL
(pages chaînées)
Peuvent être atteintes
depuis les pages du
niveau TETE DE SECTION

Figure 2.3 :
Modèle de
document
hiérarchisé à
quatre
niveaux.

Il est possible de construire un document comprenant plusieurs niveaux d'informations afin de mieux s'adapter aux desiderata d'auditoires hétérogènes. HTML vous permet de créer différents chemins reliant des documents de présentation à des documents de base. De cette façon, rien ne vous empêche de concevoir une page d'accueil qui amènera les débutants vers un didacticiel alors que les utilisateurs expérimentés trouveront un pointeur leur permettant d'emprunter un raccourci.

Ce type d'organisation, illustré Figure 2.4, est particulièrement adapté à des auditoires de compétences diverses et ne vous demande pas un gros travail supplémentaire.

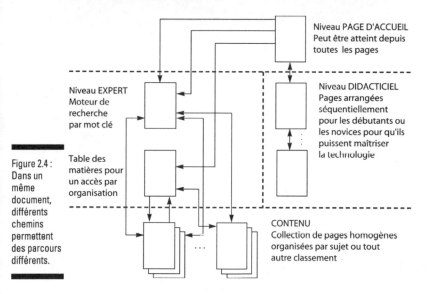

Niveau PAGE D'ACCUEIL
Peut être atteint depuis toutes les pages

Niveau EXPERT
Moteur de recherche par mot clé

Niveau DIDACTICIEL
Pages arrangées séquentiellement pour les débutants ou les novices pour qu'ils puissent maîtriser la technologie

Figure 2.4 : Dans un même document, différents chemins permettent des parcours différents.

Table des matières pour un accès par organisation

CONTENU
Collection de pages homogènes organisées par sujet ou tout autre classement

Certaines des meilleures informations ne sont faites que d'une liste de références annotées vers d'autres documents. La Figure 2.5 montre comment est organisé ce type de document où une page initiale pointe sur plusieurs pages situées sur différents serveurs. On les appelle des signets. La plupart des navigateurs offrent la possibilité de constituer progressivement ce type de document HTML. Il suffit pour cela de mémoriser les adresses de serveurs qui ont retenu votre attention.

Enfin, on rencontre aussi, parfois, des pages Web constituées petit à petit par les apports des lecteurs eux-mêmes. Chacun peut y ajouter sa contribution : texte, images ou commentaires généraux. La structure de tels documents relève plutôt du chou-fleur que de l'arborescence linéaire, et elle est presque toujours imprévisible. Inutile de dire que la navigation n'y est pas aisée.

Les seules limites que vous risquez de rencontrer dans la structure de vos documents sont celles que vous impose votre souci de communiquer efficacement avec votre auditoire. Une fois que vous aurez bien compris l'importance de cette notion, vous pourrez adopter telle ou telle structure qui vous semblera la plus appropriée, et même mettre en œuvre de nouvelles techniques qui n'ont pas été évoquées ici.

Chapitre 3

Votre première page Web

*V*ous en savez déjà assez pour réaliser une première page, simple mais fonctionnelle. Pour réaliser de bonnes pages Web, il est nécessaire de bien comprendre comment en assembler les différents morceaux. Dans ce chapitre, nous allons décrire la création du texte, son examen à l'aide d'un navigateur, la correction des erreurs et les modifications nécessaires. C'est ce que nous avons appelé le *cycle édition-correction*.

Choisissez l'outil logiciel le plus approprié

Un simple éditeur de texte peut parfaitement suffire. C'est la raison pour laquelle nous vous suggérons de glisser un éditeur de texte dans votre boîte à outils HTML. Même si vous décidez plus tard de recourir à un éditeur spécialisé, vous finirez par vous rendre compte que rien ne vaut un bon petit éditeur de texte à tout faire, très commode pour les petites tâches d'ajustement ou de correction.

Nous vous suggérons de découvrir concrètement HTML au moyen d'un éditeur de texte ordinaire plutôt qu'en vous servant d'un éditeur spécialisé en HTML qui vous masquerait la réalité des choses, et vous cacherait le code généré.

Pour les utilisateurs de PC, nous recommandons le Bloc-notes de Windows. A ceux qui ne jurent que par le Mac, SimpleText conviendra très bien. Les exemples que nous donnerons dans ce chapitre ont été réalisés à l'aide du Bloc-notes. Vous trouverez des références d'éditeurs HTML à l'Annexe C, en même temps qu'une étude générale de ces outils et une liste de ceux que nous préférons.

Le cycle édition-correction

La réalisation d'un fichier HTML consiste à taper quelques balises et un peu de texte ordinaire puis à sauvegarder le fichier ainsi obtenu et ensuite à le rouvrir dans un navigateur. Comme la perfection n'est pas de ce monde, il y a gros à parier que ce premier résultat ne vous satisfera pas et que vous devrez y apporter quelques corrections et/ou réparer quelques oublis. Pour cela :

1. **Faites les changements nécessaires dans votre fichier avec l'éditeur de texte.**

2. **Sauvegardez vos modifications.**

3. **Rouvrez le fichier dans votre navigateur (ou utilisez l'option de rafraîchissement ou de rechargement).**

Ce cycle à trois temps doit se poursuivre jusqu'à ce que le résultat final vous satisfasse.

Nous allons commencer par quelque chose de réellement élémentaire et minimal. Tapez le texte ci-dessous dans votre éditeur de texte et sauvegardez le résultat sous le nom de `test.htm` ou `test.html` :

```
<html>
<head>
<title>Ma toute première page Web</title>
</head>
<h2>L'annuaire personnel de Justine</h2>
<ul>
   <li>Mickey<br>01 23 45 67 89</li>
   <br><br>
   <li>Minnie<br>01 09 76 54 32</li>
   <br><br>
   <li>Donald<br>04 56 77 77 77</li>
   <br><br>
   <li>Picsou<br>02 33 44 55 66</li>
   <br><br>
</ul>
```

```
</body>
</html>
```

Une fois que vous aurez créé ce fichier, lancez votre navigateur et cliquez sur Fichier/Ouvrir (ou, pour beaucoup de navigateurs, tapez <Ctrl>+<O>). Dans la boîte de saisie qui s'affiche, tapez le nom de votre fichier précédé de son chemin d'accès, puis cliquez sur Open (ou Ouvrir, selon la nationalité de votre navigateur). La Figure 3.1 vous montre ce que vous allez obtenir.

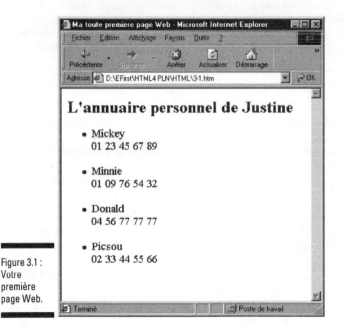

Figure 3.1 : Votre première page Web.

Ce qui s'affiche dans la fenêtre de votre navigateur est un petit répertoire téléphonique personnel, mais ne laissez pas cette simplicité vous abuser, car nous allons pouvoir y découvrir quelques éléments HTML intéressants. Tout d'abord, notez que le texte compris entre `<title>` et `</title>` a été reproduit tel quel dans la barre de titre de la fenêtre du navigateur. Notez également que le nom et le chemin d'accès de votre fichier apparaissent dans une fenêtre appelée "Adresse". Enfin, remarquez que l'une des icônes est appelée "Actualiser" (avec Netscape Navigator, ce serait "Recharger"). Nous allons maintenant entrer dans notre cycle infernal qui va se présenter ainsi :

1. **Revenez à votre éditeur de texte et apportez les changements que vous voudrez au texte HTML que vous avez saisi.**

2. **Sauvegardez le fichier tel quel, sous le même nom.**

3. **Revenez à votre navigateur et cliquez sur le bouton Actualiser (ou Recharger).**

4. **Regardez le résultat de cette modification. S'il ne vous convient pas, revenez à l'étape 1.**

Ce cycle édition-révision va très rapidement vous devenir familier. Faites très attention à deux points importants : la sauvegarde du fichier après toute modification et le "rafraîchissement" de l'affichage dans le navigateur au moyen du bouton Actualiser (ou Recharger).

Nous allons maintenant corser un peu la difficulté. Revenant à votre éditeur de texte, modifiez votre fichier `test.htm` pour qu'il se présente ainsi :

```
<html>
<head>
<title>Page d'accueil de l'Institut des folles recherches</TITLE>
</head>
<body>
<h1>Bienvenue a l'IFR !</h1>
L'IFR est l'endroit dans lequel s'effectuent les plus
insignifiantes et dérisoires recherches. Venez visiter nos pages
le plus souvent possible et admirer les prodigieux efforts de nos
vaillantes équipes cherchant a reculer les limites des
connaissances humaines.
<p> Sa devise est : "Si c'est en forgeant que l'on devient
forgeron, ce n'est pas en sciant que Léonard devint scie."
<h2>Le Bureau de l'IFR</h2>
Jean Sayrien, Docteur en Pataphysique, Directeur<br>
Paul Hochon, Docteur en Radio-Gastronomie,
Directeur de la Recherche<br>
Pierre Kiroule, Professeur de Sciences Sidérantes,
Chef du Service Passif<br>
<h2>Projets en cours</h2>
Le comblage des lacunes<br>
La fusion mi-chaude mi-froide<br>
La fabrication des piles au glutonium liquide<br>
Le schmilblik rotatif<br>
<hr>
Pour d'autres informations sur l'IFR, contactez
<a href=mailto:folingue@ifr.org>le Dr. Jean Sayrien</a>.<br>
Les dons et legs ainsi que les dotations sont acceptes avec
```

```
reconnaissance.
</body>
</html>
```

Bien que la saisie de ce texte puisse vous paraître une ennuyeuse corvée, ne vous en dispensez pas car c'est de cette façon que vous verrez le détail de l'implantation des balises HTML dans un texte, donc que vous apprendrez HTML par la pratique.

Au cours de cet exercice, vous allez probablement faire quelques fautes de frappe. A chaque erreur, revenez à votre éditeur de texte, corrigez, sauvegardez et réaffichez. Lorsque tout sera en bon ordre, vous devrez obtenir ce que montre la copie d'écran de la Figure 3.2.

Figure 3.2 :
Votre
deuxième
page Web.

Deuxième partie

Le mécanisme
des pages Web

"Il s'agit d'un moteur de recherche à coercition.
Lorsque l'utilisateur clique sur l'icône "siphon",
il installe un navigateur propriétaire et collecte
les droits d'enregistrement. En outre, Bill a eu
l'idée de le mettre en liaison directe avec le fisc."

slash devant le nom de la balise qui indique que c'est une balise terminale.

✔ Le navigateur considère presque toujours que tout ce qui se trouve entre la balise initiale et la balise terminale doit subir l'action commandée par la balise.

✔ HTML n'oblige pas à écrire les balises en minuscules ou en majuscules.

✔ Certaines balises admettent la présence d'attributs. Un attribut est une caractéristique particulière associée à une certaine balise. Par exemple, la balise `<img>`, qui sert à insérer une image, admet, entre autres, l'attribut `src=` qui lui indique où se trouve le fichier de l'image à charger. Voir, plus loin, la section *Vue générale des attributs*.

Conventions syntaxiques usuelles

Décrire une syntaxe formelle implique l'usage de certains caractères qui jouent un rôle particulier pour indiquer le comportement des éléments sur lesquels ils portent.

✔ Toute balise est placée entre un chevron ouvrant (<) et un chevron fermant (>).

✔ Le nom d'une balise terminale est toujours précédé d'un slash (/).

✔ Un et commercial (&) signale le début d'une *entité de caractère* servant à coder un caractère étranger (comme nos caractères accentués) qui ne fait pas partie de l'alphabet de base de HTML. L'entité se termine par un point-virgule (;). Exemple : `&eacute;` représente le caractère "é".

Les entités de caractères seront traitées d'une façon complète au Chapitre 12.

Quelques règles de base

Outre la syntaxe formelle dont nous venons de parler, il existe des règles générales concernant plus spécialement l'écriture des balises.

Pas d'espaces dans les noms de balises

Dans le nom d'une balise, tous les caractères, y compris la paire de chevrons, doivent être rigoureusement consécutifs, faute de quoi la balise ne serait pas reconnue comme telle.

Si `</head>` est une balise terminale parfaitement valide, les formes suivantes ne le sont pas :

```
< /head>
</ head>
</h ead>
</he ad>
</hea d>
</head >
```

Les noms d'attributs doivent être séparés les uns des autres et de celui de la balise par au moins un espace. `<img src="monimage.gif">` est correct alors que `<imgsrc="monimage.gif">` ne l'est pas.

Là où on a le droit d'insérer un espace il est permis d'en glisser plusieurs. On peut tirer parti de cette propriété pour améliorer la lisibilité des documents HTML. On peut aussi ajouter des *commentaires*. Leur syntaxe est un peu spéciale : leur "balise initiale" se note `<!--` et leur "balise terminale" `-->`. Nous y reviendrons plus loin.

Les valeurs par défaut

Une valeur *par défaut*, c'est la valeur qu'a un attribut lorsqu'il est absent d'une balise, autrement dit, lorsqu'un attribut est absent, tout se passe comme s'il était présent et que sa valeur était cette valeur par défaut.

Les imbrications

Il est parfois nécessaire d'insérer une balise à l'intérieur d'une autre balise. Par exemple, dans une phrase déjà affichée en caractères gras, pour mettre un mot en italique de façon qu'il soit affiché en italique gras. Dans ce cas, on va *imbriquer* une balise dans une autre.

Sachant que le couple de balises `<b>` ... `</b>` affiche son contenu en caractères gras (*gras* se traduit en anglais par *bold*) et que le couple `<i>` ... `</i>` affiche son contenu en italique, voici ce qu'on pourrait écrire, en citant Voltaire :

```
<b>Le premier qui fut <i>roi</i> fut un soldat heureux.</b>
```

La Figure 4.1 vous montre comment cette maxime va s'afficher.

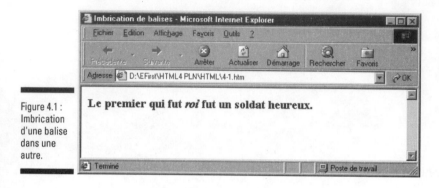

Figure 4.1 :
Imbrication
d'une balise
dans une
autre.

Il est impératif de refermer les balises dans l'ordre inverse de leur ouverture. Ici, la première balise ouverte est <b> et la seconde <i>. C'est donc <i> qui doit être refermée en premier et <b> en dernier. Pour certaines balises, cette notion d'imbrication est sans objet.

Dans la plupart des chapitres qui vont suivre, nous commencerons par vous présenter un groupe de balises, puis nous vous montrerons comment les mettre en œuvre. Vous trouverez à l'Annexe A une liste des balises standards établie par ordre alphabétique, et pour chacune d'elles quelques indications sommaires sur son usage.

Classement des balises par catégories

On peut regrouper les balises par catégories :

- ✔ **Balises de texte.** Ce sont elles qui servent à mettre le texte du contenu en forme (police, graisse, corps, centrage...). Nous en parlerons au Chapitre 10.

- ✔ **Balises de liste.** Elles vous permettent de définir plusieurs types de listes. Nous en parlerons au Chapitre 11.

- ✔ **Balises de tableaux.** Elles permettent de définir une structure de tableau, ce qui est utile pour présenter des résultats tabulés ou pour améliorer la mise en page d'un contenu. Nous en parlerons au Chapitre 14.

✔ **Balises de liens.** Ce sont elles qui servent — comme leur nom l'indique — à créer des liens entre différentes pages : liens hypertexte, liens par image réactive, liens vers des feuilles de style ou vers d'autres types de ressources. Nous en parlerons au Chapitre 13.

✔ **Balises d'insertion.** Grâce à elles, vous pouvez insérer des objets non HTML comme des applets Java ou des fichiers multimédias dans votre page. Nous en parlerons au Chapitre 17.

✔ **Feuilles de style.** Une feuille de style définit la façon dont le navigateur traduira le contenu d'un document HTML. Nous en parlerons au Chapitre 18.

✔ **Balises de présentation.** Elles viennent modifier l'apparence du contenu en jouant, par exemple, sur les polices de caractères et les filets de séparation. Nous en parlerons au Chapitre 9.

✔ **Cadres (*frames*).** Elles servent à créer plusieurs fenêtres indépendantes dans la fenêtre principale du navigateur. Nous en parlerons au Chapitre 16.

✔ **Formulaires.** Elles sont utilisées pour créer des formulaires dans lesquels l'utilisateur saisira des informations qui seront ensuite envoyées au serveur Web. Nous en parlerons au Chapitre 17.

✔ **Scripts.** Ces balises permettent d'insérer des *scripts* (courts programmes) dans les documents HTML. Nous en parlerons au Chapitre 17.

Vue générale des attributs

Un *attribut* est une caractéristique associée à une balise particulière. Il peut se présenter sous deux formes :

✔ `attribut`. La seule présence du nom de l'attribut influe sur le comportement de la balise. Dans ce cas, on n'affecte aucune valeur à l'attribut.

✔ `attribut="valeur"`. `valeur` est généralement placée entre guillemets et peut revêtir une des formes suivantes :

- **URL :** Une URL sous sa forme habituelle.

- **Nom :** Le nom attribué par l'auteur Web à une balise, par exemple pour un champ d'entrée de formulaire.

- **Nombre :** Une valeur numérique.

- **Texte** : Une chaîne de caractères.

- **Serveur** : Un nom dépendant d'un serveur.

- **X** ou **Y** ou **Z** : Un membre appartenant à un ensemble fixe de valeurs.

- **#rrggbb** : Un triplet hexadécimal représentant une couleur.

Pour chacune des balises que nous étudierons dans la suite de ce livre, nous détaillerons chacun de ses attributs. Nous indiquerons, d'après les spécifications du W3C, la sensibilité à la casse (distinction entre minuscules et majuscules) de la valeur qu'on lui affecte, avec les conventions suivantes :

✔ [CS] : La valeur est sensible à la casse. "a" et "A" seront considérés comme représentant deux valeurs différentes.

✔ [CI] : La valeur est insensible à la casse. "a" et "A" seront considérés comme représentant deux valeurs identiques.

✔ [CN] : La casse n'a pas de sens ici. C'est, par exemple, une valeur numérique.

✔ [CA] : La valeur comporte en elle-même des informations sur la casse.

✔ [CT] : Il faut consulter la définition donnée dans la DTD pour savoir ce qu'il en est.

Une DTD (*Document Type Definition*) est un document d'une haute technicité qui définit de façon plutôt ésotérique la syntaxe des balises. Sa lecture n'est pas recommandée aux débutants. Nous en reparlerons au Chapitre 19.

Pour les deux tiers des balises HTML, on peut répartir les attributs en trois groupes que nous allons étudier isolément dans les sections ci-après pour ne plus y revenir par la suite. Tous ces attributs ont des valeurs *implicites* (autrement dit : par défaut), ce qui veut dire que vous pouvez, la plupart du temps, vous dispenser d'écrire explicitement ces attributs dans une balise.

Voici quels sont ces trois groupes d'attributs :

✔ **Les attributs génériques (*core attributes*).** Ils concernent toutes les balises sans exception.

✔ **Attributs de langue (*language attributes*).** Ils sont référencés dans la DTD sous le nom i18n. Ils concernent des caractéristiques dépendant de la langue utilisée.

> ✔ **Attributs d'événements (*event attributes*).** Ils servent à désigner un certain nombre d'événements pouvant survenir dans un document HTML et susceptibles d'être pris en compte par un script.

Attributs génériques

Ils fournissent des informations permettant de faciliter l'identification ou le contrôle du contenu d'une balise, et concernent toutes les balises sans exception :

> ✔ `id="nom"`. C'est un identificateur unique pour la totalité du document HTML. Il permet d'identifier sans ambiguïté une balise particulière et une seule dans un document.

> ✔ `class="texte"`. C'est une liste des noms de classes séparés par des virgules à laquelle appartient la balise dans laquelle se trouve cet attribut. Cela concerne plus spécialement l'utilisation des feuilles de style.

> ✔ `style="texte"`. Indique un style particulier applicable localement à la balise où figure cet attribut (police de caractères, couleur, taille...).

> ✔ `title="texte"`. Définit un court titre qui sera affiché lorsque le pointeur de la souris restera immobile pendant au moins une seconde sur le contenu de la balise. C'est l'équivalent de l'*infobulle*.

Attributs de langue

Il n'en existe que deux, et leur implémentation actuelle par les navigateurs laissant beaucoup à désirer, nous n'en dirons rien de plus.

Attributs d'événements

Ils servent à reconnaître et à traiter différents événements pouvant résulter de l'affichage d'une page Web ainsi que des réactions de celui qui la lit. Ils peuvent être exploités par des scripts placés dans la même page. L'un des exemples les plus faciles à comprendre est `onMouseOver`, qui se produit lorsque le visiteur passe le pointeur de sa souris sur certains objets d'une page Web.

Chapitre 5

Le texte avant tout

*V*ous allez maintenant réaliser votre page d'accueil, simple mais complète. Considérez-la comme un prototype pour vos pages à venir. Plus tard, vous pourrez toujours revenir en arrière et lui ajouter une kyrielle de gadgets pour la transformer en à peu près tout ce que vous voudrez : page d'entreprise, page d'association sans but lucratif, voire même page officielle (!).

C'est sa mise en page, son *look and feel*, c'est-à-dire la façon dont se présente son contenu qui crée la première impression visuelle. Si votre page déplaît au visiteur, sa première visite sera probablement la dernière. Toutefois, rappelez-vous que l'essentiel, dans une page Web, c'est son contenu. Mettez-le en valeur par une bonne mise en page mais restez simple, sans fioritures inutiles.

Adoptez un bon modèle

Après avoir surfé çà et là sur le Web, vous devez commencer à avoir une petite idée de ce qui constitue une page bien construite. Vous avez probablement remarqué deux points importants :

> ✔ La plupart des pages Web qui vous séduisent comprennent quatre éléments : le *titre*, l'*en-tête*, le *corps* et le *pied de page*.

> ✔ Les pages Web auxquelles manque l'un de ces éléments de base ne donnent pas envie d'y revenir.

Des siècles d'habitude de la chose imprimée nous ont prédisposés à rechercher systématiquement certains éléments familiers qui sont, pour nous, des indices d'une bonne construction. Aussi les pages Web dans lesquelles on ne les retrouve pas nous apparaissent-elles comme déplaisantes. Arrangez-vous pour que ça ne soit pas votre cas. Pour cela, adoptez le modèle de base que vous propose le Listing 5.1 pour tous les documents HTML que vous serez amené à produire.

Listing 5.1 : Le modèle de base de vos pages Web.

```
<html>
<head>
<title>Le titre</title>
</head>

<body>
<p>
C'est ici que vous allez mettre les titres, le texte
et les images
</p>
<address>
Copyright &copy; 2001, votre nom<br>
Revise le : date de revision <br>
URL : <a href = "http://l'url_de_cette.page.ici">
      http://l'url_de_cette.page.ici</a>
</address>
</body>
</html>
```

La Figure 5.1 vous montre ce que Netscape Navigator affiche lorsqu'on lui soumet ce fichier. Avec d'autres navigateurs ou sur d'autres plates-formes que Windows, elle pourrait s'afficher de façon un peu différente. Ce qui montre que vous ne pouvez jamais être certain que votre page sera affichée comme vous l'avez conçue et testée : HTML n'est pas un logiciel de PAO.

Rappelez-vous que pour voir une page Web, vous devez :

> ✔ Lancer votre navigateur.

> ✔ Ouvrir le fichier contenant votre page : Fichier/Ouvrir (ou <Ctrl>+<O> avec la plupart des navigateurs).

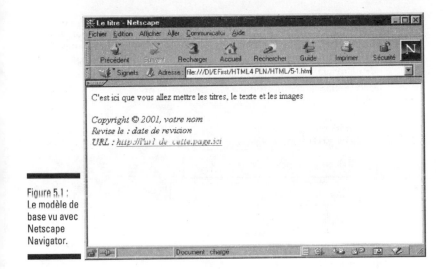

Figure 5.1 :
Le modèle de
base vu avec
Netscape
Navigator.

> ✔ Dans la boîte de sélection de fichier qui s'ouvre, sélectionnez le
> répertoire où se trouve votre document HTML puis double-
> cliquez sur son nom.

Comme vous pouvez le voir, cette page est un modèle de simplicité. Ce
n'est qu'au Chapitre 6 que nous vous dirons comment la compléter par
des images.

La mise en page du haut en bas

Commencez par vous assurer que votre page n'occupe pas plus d'un
seul écran, ce qui la rendra plus facile à éditer et à tester. Comment
peut-on définir "un seul écran" ? Sans doute comme la quantité
d'informations qu'un navigateur peut afficher sans déborder d'un seul
écran. Oui, mais quel écran ? Oui, mais quel navigateur ? Tout dépend... Si vous supposez que vos visiteurs vont voir votre page de la
même façon que vous la voyez sur votre écran et avec votre navigateur, vous commettez une grave erreur.

Le mieux est sans doute de tester une page avec un type d'écran
correspondant à une résolution moyenne (la plus courante) de
800 x 600 pixels. Si possible, avec différents navigateurs.

Si vous souhaitez apporter des modifications à votre page, le mieux
est probablement de noter vos idées sur une feuille de papier.

La Figure 5.2 vous montre ce que nous entendons par là. Vous pouvez y voir la répartition entre le contenu proprement dit et les zones de respiration, ce que l'on appelle parfois les *blancs*. La plupart des concepteurs n'ont que trop tendance à bourrer leur page, asphyxiant de cette façon leurs visiteurs par une mise en page trop serrée, donc rébarbative.

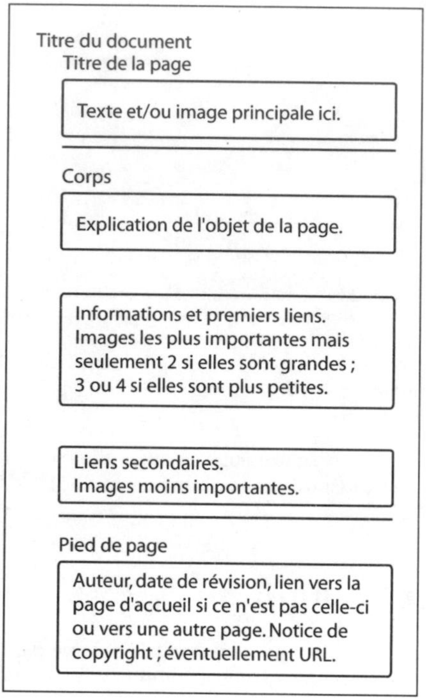

Titre du document
  Titre de la page

> Texte et/ou image principale ici.

Corps

> Explication de l'objet de la page.

> Informations et premiers liens.
> Images les plus importantes mais
> seulement 2 si elles sont grandes ;
> 3 ou 4 si elles sont plus petites.

> Liens secondaires.
> Images moins importantes.

Pied de page

> Auteur, date de révision, lien vers la
> page d'accueil si ce n'est pas celle-ci
> ou vers une autre page. Notice de
> copyright ; éventuellement URL.

Figure 5.2 :
Esquisse de
mise en page
élémentaire
montrant où
se situent les
blancs.

Organisez votre page de façon logique afin que vos visiteurs puissent l'explorer sans difficultés : placez les informations les plus importantes en tête, en gros caractères, avec beaucoup d'espace autour, puis disposez le reste en allant vers les parties les moins importantes de ce que vous avez à dire.

Dans la réalité, vous ne créerez généralement pas qu'une seule page, mais un ensemble de pages qui composeront un *site Web*. Des liens bien conçus créeront des liaisons entre ces différentes pages. Nous y reviendrons au Chapitre 13.

Titres en tous genres

Il y a *titre* et *titres*. Le *titre*, au sens de la balise <title>, c'est ce qui va être affiché dans la barre de titre du navigateur. Les *titres* <h1> à <h6> (que les Anglais traduisent par "en-têtes" — *headings*), c'est ce qui va réaliser le découpage du contenu et qui sera affiché dans la fenêtre principale du navigateur. Pour les distinguer, nous appellerons le premier — qui est unique dans un même document HTML — *titre principal*. Les autres, ce sera tout simplement... des *titres*.

Le titre principal

Le titre principal est important puisque c'est lui qui va être au premier chef l'objet de l'attention des robots d'exploration qui, inlassablement, sillonnent le Web. C'est à partir de lui que va être établie l'indexation de votre page. C'est lui aussi qui sera utilisé dans les signets du navigateur pour repérer telle ou telle page.

Comme vous souhaitez attirer le plus de monde possible autour de votre page, essayez de rendre votre titre principal à la fois attractif et descriptif. Pour parvenir à trouver un titre suffisamment explicite, commencez par taper la suite des mots clés qui décrivent le mieux votre page, puis essayez de les incorporer dans une phrase qui tienne debout. Dépouillez ensuite cette phrase de tous les articles, adverbes et ornements superflus. Voici un exemple de la façon de construire un titre :

- **Les mots :** George, joueur de guitare classique, coureur cycliste.

- **La phrase :** George est un joueur de guitare classique qui participe à des courses de vélo.

- **Le titre principal :** La page de George, le coureur cycliste qui joue de la guitare.

Maintenant, est-ce que ça va tenir sur une seule ligne ? La réponse, après un test en vraie grandeur, est "Oui, sans aucune difficulté".

```
<html>
<head>
  <title>
    La page de George, le coureur cycliste qui joue de la guitare.
  </title>
</head>
  ...
</html>
```

Les titres ordinaires

Dans l'édition papier, les titres précèdent certains paragraphes. Toute page doit avoir au moins un en-tête puisque son titre principal (`<title>`) n'est affiché que dans la barre de titre de la fenêtre.

Un titre c'est un peu le résumé du ou des paragraphes qui le suivent : c'est une synthèse, une formule, une "accroche" visuelle. Les titres doivent être en phase avec le contenu des paragraphes. Si, par la pensée, vous enlevez le texte de votre page en ne conservant que les titres, vous devez obtenir un plan de votre exposé et retrouver les grandes lignes de votre discours et ses idées forces.

A titre d'exemple, le Tableau 5.1 vous montre quelques-uns des titres possibles dans une présentation Web de ce livre sous leur forme directe puis badigeonnés d'humour.

Tableau 5.1 : En-têtes : stricts et teintés d'humour.

Stricts	Plus intéressants
Réalisation de documents	Améliorez le contenu de votre page
Réalisation de paragraphes	Des paragraphes solides comme des rocs !
Logos et icônes	Accroches visuelles, logos, icônes et autres gemmes

Bien que les navigateurs reconnaissent six niveaux de titres, la plupart des pages bien construites n'en utilisent guère plus de trois.

Deux écoles de pensée s'affrontent au sujet de l'importance relative des titres :

- ✔ **L'école *informative*.** Elle dit : "Les niveaux de titres doivent être utilisés en incréments et décréments réguliers d'une unité et toujours commencer par `<h1>`." De cette façon, vous aurez une structure bien ordonnée.

- ✔ **L'école *conceptrice*.** Elle utilise un mot pour qualifier cette structure : "ENNUYEUX !" Et elle insiste : "Servez-vous des titres pour attirer l'attention de vos visiteurs. Placer un `<h1>` au voisinage d'un `<h3>` ou d'un `<h4>` va créer un impact visuel."

Comme dans beaucoup de situations, c'est à vous de choisir selon vos goûts et votre formation artistique.

Améliorez la présentation du contenu

Le corps de votre page Web est en plein milieu de votre document HTML, coincé entre l'en-tête et le pied de page. Son contenu dépend du type des informations que vous voulez diffuser et de leur volume ainsi que du profil de votre auditoire.

Les pages Web personnelles sont généralement très différentes des pages Web professionnelles, universitaires ou officielles. Non seulement par leur contenu mais surtout par leur présentation, bien que leur agencement respecte en général les mêmes règles. Une page personnelle contient le plus souvent une brève introduction suivie de nombreux liens à des pages locales et/ou à des pages situées sur d'autres sites Web. On y trouve à peu près toujours les éléments suivants :

- ✔ **Un C.V.** sous forme de texte assez dense, parfois accompagné d'une photo ou d'une image.

- ✔ **Une autobiographie**, le plus souvent sous forme de texte simple.

- ✔ **Une brève liste de hobbies et de sports pratiqués.** Elle est éventuellement accompagnée d'images et/ou des liens vers des sites Web correspondant à ces rubriques.

- ✔ **Une liste de sites Web favoris**, histoire de faire partager votre plaisir.

De son côté, une page professionnelle contiendra :

- ✔ **Des images, encore des images, toujours des images.** Généralement sous forme de vignettes servant de liens vers les mêmes images de plus grande taille.

- ✔ **Des références d'activité.** Expositions, récompenses, clients prestigieux, etc.

- ✔ **Des références professionnelles.** Liens vers quelques réalisations de référence, par exemple.

Alors, combien faut-il de texte ?

Vous savez sans doute que même un discours de cinq minutes, ça occupe une bonne quantité de pages. Si vous voulez que vos visiteurs restent connectés pour lire vos pages, raccourcissez-les. Beaucoup d'utilisateurs — et tout spécialement ceux qui sont raccordés à l'Internet par une connexion lente — considèrent que de gros pavés de texte signifient du gaspillage de bande passante.

Mais ne tombez pas d'un excès dans l'autre, et ne croyez pas que votre texte doive imiter les clips vidéo de 30 secondes dont nous abreuvent certaines chaînes de télévision. Sachez que, dans l'état actuel des choses et des habitudes, la plupart de ceux qui naviguent sur le Web recherchent des moyens d'information rapides et n'ont pas l'intention de se plonger dans d'interminables laïus. C'est à vous de leur proposer des informations facilement assimilables. Pour cela, la mise en page joue un rôle important.

Une composition équilibrée

Le corps d'une page Web personnelle devrait renfermer trois à cinq paragraphes assez courts, et de préférence bien écrits. Soignez votre orthographe et votre style. Songez à aérer votre composition par des interlignes et des espaces vierges judicieusement disposés. Ne mettez rien dans votre page qui lui soit étranger. Ne dépassez pas une longueur de un à trois écrans.

Elaguez vos pages

Idéalement, vous devriez pouvoir compter sur les doigts d'une seule main le nombre d'écrans à faire défiler pour en lire tout le contenu. Trop longue, une page lassera son lecteur. Découpez-la en plusieurs documents HTML et placez en tête, sur la page d'accueil, une table des matières avec des liens renvoyant aux différentes pages que vous aurez ainsi créées. Chacune d'elles devra posséder un lien de retour ramenant à cette table des matières. Vous pouvez aussi conserver une seule page et la diviser en sections auxquelles vous appliquerez cette méthode.

Cette idée de fragmenter un long document est assez répandue, car elle offre deux avantages marquants :

- Les visiteurs peuvent capturer tout le texte sous la forme d'un unique fichier.

- De votre côté, il est plus facile d'éditer un seul fichier que plusieurs petits.

A vous de trouver le juste équilibre entre ces avantages et l'inconvénient qu'il peut y avoir pour les visiteurs d'attendre le chargement d'une grande quantité de texte dans une seule page. Lorsque vous avez un contenu abondant, vous devez le fragmenter par l'emploi judicieux de contrôles. Vous trouverez au Chapitre 13 des informations sur la façon de lier des pages entre elles.

Quelques bonnes règles de composition

Pour créer une bonne page Web, voici quelques règles ayant fait leurs preuves :

✓ Conservez partout la même mise en page afin de ne pas dérouter vos lecteurs.

✓ Aérez votre texte et vos titres pour faciliter leur repérage visuel.

✓ Faites de courts paragraphes.

✓ Lorsque c'est vraiment nécessaire, n'hésitez pas à recourir à des images, pourvu qu'elles aient un rapport direct avec votre texte.

✓ Faites un usage judicieux des liens entre les pages de façon à éviter à vos visiteurs la corvée du défilement.

✓ Variez l'emplacement des appels de liens externes afin d'améliorer le contraste de vos pages.

✓ Soignez la rédaction de vos appels de lien afin qu'ils soient bien en situation. Fuyez "Cliquez ici" comme la peste !

Des paragraphes solides

Les habitués du Web apprécieront un texte clair et concis. Malheureusement, la plupart des auteurs Web sont de piètres écrivains. Si nous ne devions retenir que deux règles, ce serait celles-là :

✓ **Supprimez les mots inutiles.** Les adverbes, par exemple, qui affaiblissent très souvent la force du propos.

✓ **Adoptez le paragraphe comme unité de composition.** Ecrivez vos paragraphes l'un après l'autre et n'essayez pas de composer une page dans son ensemble. Un paragraphe isolé est souvent plus facile à dompter qu'un long texte.

Pour nous résumer, voici un petit guide en huit points à l'usage du rédacteur débutant :

1. **Etablissez un plan avant de commencer à écrire.**

2. **Ecrivez un paragraphe pour chaque point important, et dans ce paragraphe faites des phrases claires et directes.**

3. **Supprimez sans pitié de votre texte tous les mots inutiles.**

4. **Relisez et corrigez les fautes d'orthographe et de ponctuation.**

5. **Testez votre page sur le plus possible de matériels et avec tous les navigateurs que vous pourrez trouver.**

6. **Mettez à contribution quelques lecteurs de bonne volonté qui accepteront de vous servir de testeurs.**

7. *Vingt fois sur le métier remettez votre ouvrage.* **Relisez votre texte et profitez-en pour y apporter de nouvelles corrections.**

8. **Prévoyez en bas de page un lien de type** `mailto:` **et invitez vos lecteurs du Web à vous faire connaître leur avis.** (Pour ce dernier point, consultez le Chapitre 17).

Des listes bien structurées

Le type de liste le plus couramment utilisé est la *liste à puces*. Elle permet de bien mettre en relief plusieurs courtes lignes d'information ayant trait au même sujet sans leur attribuer une importance particulière ou un ordre de succession déterminé. L'exemple suivant (dans lequel vous remarquerez la présence de l'entité de caractère `&eacute;` pour représenter le "é") est illustré par la copie d'écran de la Figure 5.3.

```
<ul>
<li>C'est bien not&eacute;.</li>
<li>Et cela aussi.</li>
<li>Sans oublier cette information.</li>
</ul>
```

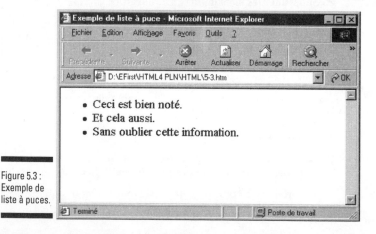

Figure 5.3 :
Exemple de
liste à puces.

L'extrait suivant montre comment disposer les balises d'une liste à
puces dans un document HTML de façon à en aérer le contenu (vous
noterez aussi l'apparition de quelques entités de caractères pour
représenter les caractères accentués) :

```
<i>HTML 4.0 pour les Nuls</i> est un ouvrage int&eacute;ressant
&agrave; plus d'un titre dont les pages sont con&ccedil;ues pour
vous aider dans les trois domaines suivants :
<ul>
<li>Trouver les informations n&eacute;cessaires sur HTML.
<li>Vous offrir des exemples illustrant toutes les astuces
   propos&eacute;es
<li>Vous permettre de d&eacute;couvrir plus facilement les
richesses de cet excellent ouvrage
</ul>
```

La Figure 5.4 montre comment Internet Explorer affiche cette liste.
Bien des informations apparaissent plus claires lorsqu'elles sont
affichées sous forme d'une seule liste ou de listes imbriquées. Vous
trouverez d'autres informations sur les listes au Chapitre 11.

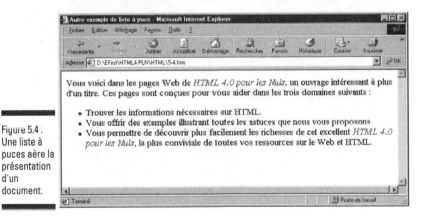

Figure 5.4 :
Une liste à
puces aère la
présentation
d'un
document.

Créez des liens à partir de vos pages

Ce sont les liens établis à partir d'une page vers le monde extérieur du
Web qui en font toute la richesse. En tant que concepteur, c'est à vous
de faire en sorte que votre auditoire apprécie suffisamment vos pages
pour le faire savoir à d'autres qui, à leur tour, en parleront à leurs

amis, et ainsi de suite. D'où l'intérêt de lier vos pages à d'autres pages déjà connues du Web pour profiter de ce référencement supplémentaire.

Il existe deux types de liens : les liens *relatifs* et les liens *absolus*. Les premiers ne peuvent être utilisés que pour référencer des pages situées à l'intérieur de votre propre site Web, alors que les liens absolus sont valables pour tous les sites Web, où qu'ils soient situés.

Les liens internes sont relatifs

Un lien relatif se présente de la façon suivante :

```
<a href="monftp.htm">Pour aller &agrave; la page du FTP</a>
```

Il ne peut être utilisé que pour référencer des pages situées dans le même site Web.

Comment fonctionne un lien relatif

L'URL que vous référencez est *relative* au répertoire dans lequel se trouve la page courante. Dans notre exemple, le fichier HTML `monftp.htm` est situé dans le même répertoire que le document HTML qui l'appelle.

Attention à l'extension

Lorsque vous créez des liens vers d'autres documents HTML, vous devez utiliser l'extension `.html` ou `.htm`. Tous les serveurs Web acceptent les deux. C'est au moment où vous téléchargerez vos documents HTML vers le serveur que vous devrez définir leur extension. Ensuite, vous devrez vous y tenir rigoureusement.

Les liens externes sont absolus

Un lien externe (ou lien *absolu*) contient une adresse complète :

```
<a href="http://www.lanw.com/html4dum/html4dum.htm">
Aller sur le site http://www.lanw.com/html4dum/html4dum.htm
</a>
```

Ce type de lien est obligatoire dès que vous quittez votre petit monde douillet pour amener votre lecteur à l'extérieur. Un tel appel de lien

pourra demander davantage de temps pour charger le fichier correspondant, surtout lorsque, depuis la France, vous appelez une page
située aux Etats-Unis ou à Hong Kong.

Nous l'avons déjà dit à plusieurs reprises : les liens sont l'essence
même du Web. Aussi, lorsque vous en créez, pensez aux trois points
suivants :

  ✔ La pertinence du contenu des pages pointées par les liens.

  ✔ Les relations mutuelles entre les liens.

  ✔ La contribution apportée par les liens non seulement à votre
  propre site Web mais aussi aux sites extérieurs.

Au Chapitre 15, nous verrons une forme plus aboutie des liens : ceux
qu'on crée à l'aide d'images réactives.

Ne créez pas de liens au petit bonheur

Vous pouvez proposer des liens vers d'autres pages comme vous le
montre la Figure 5.5. Remarquez les mots utilisés pour appeler le lien
(ils sont affichés en bleu et soulignés). C'est en cliquant sur ces mots
que vous lancerez la connexion vers le site représenté par ce lien.
Choisissez avec soin le texte et/ou les images qui vont créer votre
appel de lien. Le texte doit être bref et l'image de petite taille.

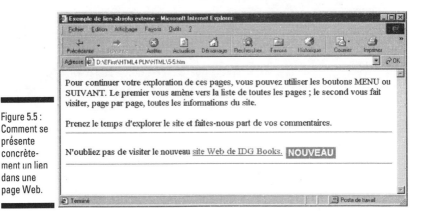

Figure 5.5 :
Comment se
présente
concrète-
ment un lien
dans une
page Web.

Voici les commandes HTML qui ont créé le fragment visible sur la
Figure 5.5 :

```
Pour continuer votre exploration de ces pages, vous pouvez
utiliser les boutons MENU ou SUIVANT. Le premier vous
am&egrave;ne vers la liste de toutes les pages ; le second vous
fait visiter, page par page, toutes les informations du site.
<br>
<br>Prenez le temps d'explorer le site et faites-nous part
de vos commentaires.
<hr>
<br>
N'oubliez pas de visiter le nouveau
<a href="http://www.idgbooks.com/">site Web de IDG Books.</a>
<img src="nouvo.gif" height=27 width=106 align=top>
<hr>
```

Dans cet exemple, vous voyez apparaître une nouvelle balise : <hr>.
Elle sert à créer un filet de séparation permettant de mieux isoler une
partie du texte.

Un texte bien choisi ne doit pas laisser place au doute, et d'un seul
coup d'œil vos lecteurs doivent voir à quel endroit cliquer sans avoir
besoin de lire tout le texte entourant les appels de liens. Souvenez-
vous que les lecteurs sont toujours pressés et que plus vite ils iront là
où ils veulent, plus ils auront d'estime pour votre page.

Une page sans pied est boiteuse

A la différence des en-têtes et du corps, il n'existe aucune balise HTML
prévue pour recevoir un pied de page. Voici les principaux éléments
que vous pouvez y trouver.

- Le nom de l'entreprise qui l'a créée, ou de la personne qui en est
  l'auteur.

- Un numéro de téléphone.

- Une adresse *e-mail*.

- Une adresse postale.

- Une notice de copyright.

- La date de dernière mise à jour de la page.

- Le statut légal de la page. Est-ce que c'est un site "officiel" qui
  engage la responsabilité éventuelle de son auteur ou de l'entreprise ?

Le document de base que nous avons présenté sur le Listing 5.1 contient dans sa balise <address> les informations minimales pour un pied de page :

```
<address>
Copyright &copy; 2001, votre nom<br>
votre adresse e-mail<br>
Revis&eacute; le : date de révision <br>
</address>
```

La Figure 5.6 montre un pied de page bien équilibré pour une page d'entreprise (celle de la page d'accueil de LANWrights). On y trouve toutes les informations importantes. Vous pourrez remarquer l'icône "Contact" dans la partie droite de l'image. Vous constaterez l'absence de toute adresse postale ou numéro de téléphone, ce qui se justifie par les raisons suivantes :

✔ Sur le Net, il est plus naturel d'utiliser le courrier électronique que le courrier postal.

✔ Vous pouvez souhaiter éviter de recevoir des appels téléphoniques ou du courrier postal.

✔ Dans notre cas, c'est sur les pages des contacts que vous trouverez toutes ces informations.

Figure 5.6 :
Pied de page
de
LANWrights.

Qu'est-ce que le copyright ?

Sauf mention contraire, l'auteur d'une page en est le propriétaire légal et détient tous les droits de reproduction qui la concernent. Il n'est donc pas nécessaire de préciser ce point, sauf si vous voulez renforcer son importance ou que vous n'êtes pas le véritable propriétaire des droits (vous agissez, par exemple, en tant que sous-traitant d'une entreprise). Rappelons que l'entité de caractère correspondant au symbole du copyright (le "c" dans un petit cercle) est ©.

Des références précises

La date de dernière mise à jour permet à votre visiteur de savoir si vous diffusez des nouvelles fraîches ou si leur actualisation laisse à désirer.

Est-ce bien le dernier modèle ?

Pour un document officiel, un mode d'emploi, une nouvelle version d'un logiciel, il est important d'avoir des repères encore plus précis. Vous pourrez ainsi faire référence à la "version 12 bis" ou à la "révision 234".

Le seul point délicat est de savoir sous quelle forme vous devez indiquer la date. En Europe, nous sommes accoutumés à l'ordre "jour, mois, année". Les Anglo-Saxons, eux, utilisent "mois, jour, année". Pour simplifier le tout, la norme ISO 8601 impose AAAA-MM-JJ (2001-02-24, par exemple). A vous, ici encore, de choisir selon le lectorat que vous visez.

Qu'en pensent-ils ?

Toute page d'accueil bien construite doit proposer à ses visiteurs un moyen de communiquer avec son auteur. La meilleure solution consiste à leur proposer une adresse e-mail vers laquelle ils pourront envoyer leurs commentaires ou poser leurs questions.

Voici un exemple de lien vers une adresse *e-mail* (un lien de type mailto:), généralement proposé dans une balise <address> ... </address> au nom évocateur :

```
<hr>
<address>
```

```
Pour tout renseignement, vous pouvez nous joindre &agrave;
<a href="mailto:jean.dupont@monserveur.fr">
        mailto:jean.dupont@monserveur.fr</a>
</address>
<hr>
```

La Figure 5.7 montre comment se présente ce pied de page.

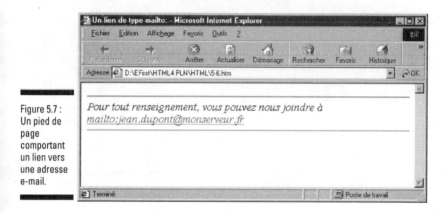

Figure 5.7 :
Un pied de
page
comportant
un lien vers
une adresse
e-mail.

Dans ce code HTML, l'URL du lien proposé est
`mailto:jean.dupont@monserveur.fr`, et l'adresse qu'il représente
est répétée à l'extérieur de la balise initiale `<a>` afin qu'elle soit
affichée comme texte d'appel du lien. Elle est ainsi parfaitement visible
et le visiteur peut facilement la recopier.

Chapitre 6
Le choc des images

* *

Dans ce chapitre :

▶ Ajout de logos, d'icônes et autres petites perles.

▶ Réalisation de pages ayant une bonne accroche visuelle.

▶ Transformation d'images en liens hypertexte.

* *

Dans ce chapitre, nous allons vous présenter quelques astuces vous permettant de lui conserver toute sa vitalité grâce à l'usage pertinent des images.

Accroches visuelles : logos, icônes et autres perles

Les maîtres mots qui gouvernent l'emploi des images sont *petites, pertinentes* et *de bon goût*. Ce n'est qu'à ce prix qu'elles conféreront une certaine valeur ajoutée à vos pages. Pourquoi "petites" ? Tout simplement pour que le visiteur ne se languisse pas devant une page où l'image se dessine progressivement, péniblement, lentement. *Small is beautiful*[1] !

Nous allons modifier la page toute simple que nous avons réalisée au Chapitre 5, et dont la Figure 5.4 montrait la présentation.

Comment insérer une image

Pour afficher une image, on fait apel à la balise <IMG> :

---

[1] Tout ce qui est petit est beau.

```
<img src="images/omnimage.gif">
```

Cette ligne contient une référence (URL) à une image dont le nom est monimage.gif. C'est une référence *relative* qui pointe vers un fichier situé sans un sous-répertoire appelé images placé directement au-dessous du répertoire dans lequel se trouve la page Web courante. Si notre page Web a pour URL http://www.monsite.com/html4/mapage.htm, tout se passe comme si nous avions écrit (en utilisant une référence *absolue*) :

```
<img src=" http://www.monsite.com/html4/images/monimage.gif">
```

Les attributs de la balise <img>

La balise <img> n'a pas de balise terminale. Mais elle a des attributs :

- ✔ **src="*url*"** [CT] Source de l'image.

- ✔ **name="*texte*"** [CI] Etiquette de la balise <img> qui pourra ainsi être éventuellement référencée par une feuille de style ou un script. C'est l'équivalent de l'attribut id.

- ✔ **alt="*texte*"** [CS] Texte de remplacement si l'image ne peut pas être affichée.

- ✔ **align="** [CI] Position de l'image par rapport à son contexte. Valeurs possibles : BOTTOM" | "MIDDLE" | "TOP" | "LEFT"|"RIGHT". ("|" signifie "ou"). Son usage est maintenant déconseillé au profit des feuilles de style.

- ✔ **border="*pixels*"** [CN] Largeur de la bordure entourant l'image. Sa valeur par défaut dépend du navigateur. Son usage est maintenant déconseillé.

- ✔ **hspace="*pixels*"** [CN] Largeur de l'espace vierge à insérer à gauche et à droite de l'image. Sa valeur par défaut est 0. Son usage est maintenant déconseillé.

- ✔ **vspace="*pixels*"** [CN] Hauteur de l'espace vierge à insérer au-dessous et au-dessus de l'image. Sa valeur par défaut est 0. Son usage est maintenant déconseillé.

- ✔ **width="*pixels*"** [CN] Largeur de l'image.

- ✔ **height="*pixels*"** [CN] Hauteur de l'image.

Si l'image vient d'ailleurs

Si vous voulez afficher une image qui n'est pas située sur le même serveur Web que la page, vous devez obligatoirement utiliser une référence absolue et écrire, par exemple :

```
<img src=" http://www.otresite.com/pictures/sonimage.gif">
```

L'inconvénient d'un tel procédé est que si le serveur qui gère ce site est en panne, l'image ne pourra évidemment pas être chargée. C'est pourquoi il est préférable que toutes les images d'une page soient situées sur le même serveur que la page elle-même. Toutefois, si vous voulez afficher une carte météo à jour, il n'y a pas d'autre solution que de référencer directement cette carte sur le site où elle se trouve.

Petites, petites, petites, les images...

Pour avoir sous les yeux un exemple concret, nous vous invitons à regarder la Figure 6.1, qui montre comment on peut utiliser de petites images comme aide à la navigation. Chacune de ces images a une taille inférieure à 1 kilo-octet, ce qui fait qu'elles s'affichent rapidement. La réutilisation d'images identiques dans une même page n'ajoute aucun temps de chargement, car toute image déjà chargée est conservée dans le cache du navigateur.

Figure 6.1 :
Les icônes de navigation au bas d'une page de LANWrights.

Les filets de séparation

La séparation des différentes parties d'une page peut se faire à l'aide de *filets*, par exemple avec la balise <hr> (hr = *horizontal rule*, c'est-à-dire règle horizontale), mais celle-ci présente l'inconvénient de ne s'afficher qu'en noir et blanc (gris, à la rigueur), et le seul effet qu'on puisse y ajouter est un effet de (petit) relief.

Pour afficher un filet coloré, il faut dessiner à l'aide d'un logiciel graphique (comme Paint Brush ou MSPaint de Windows) un rectangle allongé de faible hauteur. Vous pouvez aussi trouver sur le Web des images libres de droits (et donc utilisables sans crainte de violer un quelconque copyright). Faites par exemple une recherche pour des images GIF ou JPEG sur http://www.altavista.com, http://www.yahoo.com ou http://www.excite.com.

La Figure 6.2 vous présente une autre page du site Web de LANWrights où vous pouvez noter leur présence en deux endroits : près de l'en-tête et près du pied de page.

Figure 6.2 :
Des barres
horizontales
de couleur
jouent
parfaitement
le rôle de
séparateurs.

Si vous n'aimez pas les puces, prenez des petites boules

Une liste à puces (`<ul>`) se présente avec une marque placée à gauche de chaque article : gros point noir rond (plein ou vide) ou carré. Si vous voulez égayer un peu votre liste, vous pouvez remplacer cette puce par de petits éléments graphiques. En alternant les couleurs, vous augmenterez l'impact visuel. La Figure 6.3 montre un exemple de remplacement des puces par de petites coches.

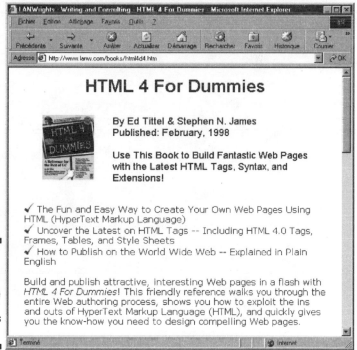

Figure 6.3 :
Une liste à puces où les puces ont été remplacées par de petites images.

Exemple de navigation graphique

Des icônes judicieusement placées facilitent la navigation dans votre page. En raison de leur petite taille, ces images se chargent rapidement et leur insertion ne présente pas de difficulté. Par défaut, les navigateurs alignent généralement le texte sur le bas des images.

Voici comment créer facilement une barre de navigation dans laquelle se trouvent groupées des icônes représentatives des différentes pages d'un site Web :

```
<body>
<p>
<a href="navigate.htm">
<img vspace="1" align="center" border="0"
     src="graphics/nav.gif" alt="Navigation">
</a>
</p>

<p>
<a href="isp.htm">
<img vspace="1" align="center" border="0"
     src="graphics/isp.gif" alt="isp">
</a>
</p>

<p>
<a href="track.htm">
<img vspace="1" align="center" border="0"
     src="graphics/track.gif" alt="Tracking">
</a>
</p>
<p>
<a href="search.htm">
<img vspace="1" align="center" border="0"
     src="graphics/search.gif" alt="Searching">
</a>
</p>
</body>
```

L'association de ces commandes HTML fait de chaque icône un appel de lien hypertexte. En cliquant sur l'une d'elles, on va directement à la page correspondante. Les visiteurs dont le navigateur affiche les images se réjouiront de cette facilité. Pour les autres, rien ne sera perdu puisque la présence de l'attribut `alt` affichera un mot de remplacement. Cette barre de navigation apparaît à droite de la page, sur la Figure 6.4.

Autres formes de liens

Un logo d'entreprise de taille modérée en tête de la page d'accueil est généralement acceptable. Il faut que sa taille soit suffisante pour qu'il attire l'œil, mais pas trop afin que son temps de chargement ne risque

pas de lasser le visiteur. On peut aussi placer un logo de la taille d'une
icône au pied de chacune des pages. La Figure 6.5 montre l'effet visuel
résultant de l'utilisation d'un logo de taille modérée (4 930 octets) en
tête d'une page. Il se charge en quelques secondes.

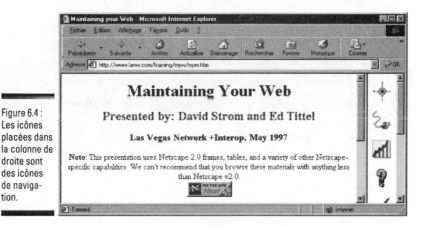

Figure 6.4 :
Les icônes
placées dans
la colonne de
droite sont
des icônes
de naviga-
tion.

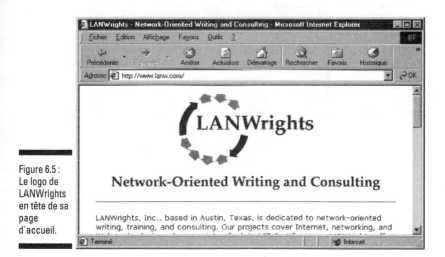

Figure 6.5 :
Le logo de
LANWrights
en tête de sa
page
d'accueil.

La Figure 6.6 montre ce qu'on obtient en rassemblant des icônes de
navigation servant de liens hypertexte dans un tableau.

Entrons dans le code HTML

Il est temps maintenant d'ouvrir cette page d'accueil et de jeter un regard sur le code qui la constitue. Tout ce qui concerne les tableaux (balise `<table>`) sera étudié au Chapitre 14.

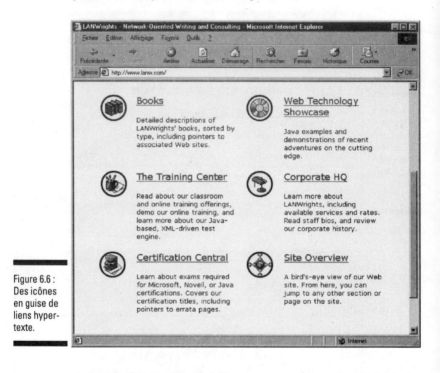

Figure 6.6 :
Des icônes
en guise de
liens hyper-
texte.

```
<center>
<table width="90%" border="0" cellspacing="4"
      cellpadding="2"
<tr>
<td width="10%"><br></td>

<td width="15%" height="23">
<center>
<a href="new.htm">
<img src="graphics/new.gif" align="bottom"
     width="51" height="51" border="0"
     alt='What's New!">
</center> </td>
```

```html
<td width="30%">
<a href="new.htm">What's New</a> </td>
<td width="15%" <center>
<a href ="corporat.htm">
<img src="graphics/corporat.gif width="51" height="51"
    align="bottom" border="0" alt="Corporate Services">
</center>
</td>

<td width="30%">
<a href="corporat.htm">Corporate Overview</a>
</td>
</tr>

<tr>

<td><br></td>

<td height="23">
<center>
<a href="books.htm">
<img src="graphics/books.gif" width="51" height="51"
    align="bottom" alt="Books in Print" border="0">
</center>
</td>

<td>
<a href="books.htm">Books in Print</a>
</td>

<td>
<center>

<a href="topress.htm">
<img src="graphics/comisoon.gif" width="51" height="51"
    align="bottom" alt="Coming Soon" border="0">
</center>
</td>

<td>
<a href="topress.htm">Coming Soon</a>
</td>
</tr>

<tr>

<td><br></td>
```

```
<td>
<center>
<a href="training.htm">
<img src="graphics/training.gif" width="51" height="51"
    align="bottom" border="0" alt="Training">
</center>
</td>

<td>
<a href="training.htm">Training</a>
</td>

<td>
<center>
<a href="overview.htm">
<img src="graphics/wayfind.gif " width="51" height="51"
    align="bottom" alt="Wayfinder" border="0">
</center> </td>

<td>
<a href="overview.htm">Site Overview</a>
</td>
</tr>

<tr>
<td><br></td>
<td height="23"> <center>
<a href="lanwstaf.htm">
<img src="graphics/staff.gif" width="51" height="51"
    align="bottom" alt="Staff" border="0">
</center>
</td>

<td>
<a href="lanwstaf.htm">LANWrights Staff</a>
</td>

<td>
<center>
<a href="lanwcmmt.htm">
<img src="graphics/contact.gif" width="51" height="51"
    align="bottom" alt="Contact" border="0"> </a> </center> </td>

<td>
<a href="lanwcmmt.htm">Contact LanWrights</a> </td> </tr>
</table>
</center>
```

Chapitre 7

Pages percutantes

* *

Dans ce chapitre :

▶ A la découverte de ce qui est beau.

▶ Savoir reconnaître ce qui est laid.

▶ Comment éviter le pire.

* *

*V*ous savez reconnaître ce qui relève du grand style lorsque vous voyez un exemple d'élégance classique. Nous vous suggérons de surfer sur le Web à la recherche de pages de ce type pour vous en inspirer.

Petit cours de mise en page

Sur le site de LANWrights (`http://www.lanw.com`), nous avons mis en pratique la doctrine que nous prêchons. Cette mise en page n'a pas été effectuée accidentellement et, en cours de route, nous avons fait deux découvertes :

✔ L'approche que nous avions choisie convenait parfaitement au but que nous cherchions à atteindre.

✔ Quelles que soient les connaissances qu'on puisse avoir dans ce domaine, l'art de la mise en page ne s'apprend que par l'expérience.

Voici, en ordre dispersé, ce que nous avons appris :

✔ La mise en page d'un site professionnel doit donner une impression de sérieux au visiteur, sans toutefois lui sembler ennuyeuse.

✔ Ajoutez parcimonieusement des images, histoire d'égayer sa présentation. Trouvez par tâtonnements leur meilleur emplacement.

✔ Quelques filets de séparation aéreront la page.

✔ Dimensionnez vos images pour qu'elles se fondent harmonieusement dans le dessin général de chaque page.

✔ Utilisez l'attribut alt pour proposer un texte de remplacement à l'intention des visiteurs qui n'affichent pas les images.

✔ Réfléchissez davantage à la conception des pages où interviennent de grandes images.

Si vous suivez ces sages conseils, vous pourrez obtenir les mêmes résultats, voire de meilleurs.

A la découverte des fichiers graphiques

"Un court croquis vaut un long discours." Certes, mais quel croquis ? Quelle image ? Quel discours ? Sur une page Web, les images sont à la fois des stimuli visuels et des éléments structurels de la page (certaines étant même des aides à la navigation). Pour mettre en place une image, vous avez deux points à considérer : sa taille et son format.

Faut-il savoir dessiner ?

Pour produire des images de haute qualité pour vos pages Web, inutile d'avoir des talents artistiques. Si vous pensez avoir souvent à travailler régulièrement avec et sur des images, nous vous conseillons de vous familiariser avec l'utilisation d'un logiciel graphique spécialisé.

En effectuant une recherche sur le Web avec les mots clés *graphics editor*, vous découvrirez de nombreux sites regorgeant d'outils graphiques de type shareware ou freeware.

Les deux tailles d'une image

Une image a deux tailles : l'une qu'on voit et l'autre qu'on ne voit pas. La première est la place qu'elle occupe sur l'écran du navigateur ; la seconde est la taille de son fichier exprimée en kilo-octets. Si la première a un impact direct sur la perception qu'aura le visiteur de la page, c'est sur le temps de chargement que l'autre se répercute.

Revenons à l'image de notre page d'accueil reproduite sur la Figure 7.1. Le fichier original du logo, réalisé avec Adobe Illustrator, occupait plus de 1 mégaoctet et remplissait la totalité de l'écran. Une telle taille est prohibitive pour une page Web.

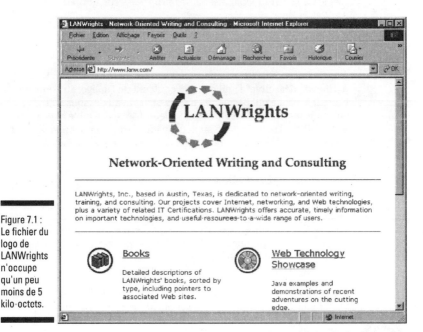

Figure 7.1 :
Le fichier du
logo de
LANWrights
n'occupe
qu'un peu
moins de 5
kilo-octets.

Après l'avoir rééchantillonné (en réduisant son nombre de pixels par pouce), le fichier n'occupe plus maintenant qu'un peu moins de 5 kilo-octets, ce qui est tout à fait raisonnable.

GIF et JPEG : lequel choisir ?

Tous les fichiers graphiques n'ont pas été créés égaux. Tout dépend de leur format. Sur le Web, il n'y a guère que deux formats qui soient réellement populaires : GIF et JPEG.

Tous les navigateurs savent afficher ces deux formats de façon native, alors qu'ils doivent recourir à des assistants pour afficher les autres formats. GIF et JPEG ont un autre avantage : ce sont eux qui permettent de réduire au maximum la taille d'un fichier graphique. Pratiquement, tous les logiciels graphiques (Photoshop, Paint Shop Pro,

GraphicConverter, LView Pro...) savent sauvegarder une image dans l'un ou l'autre de ces deux formats.

Plus exactement, il existe deux variantes du format GIF : GIF87a et GIF89a, le second reconnaissant les propriétés de *transparence* et d'*entrelacement*.

La transparence

Avec le format GIF89a est apparue la notion de *transparence*. Elle permet de désactiver l'une des 256 couleurs de l'image, au choix de l'auteur Web, ce qui permet à ce qui se trouve au-dessous d'être vu aux endroits où se trouvait cette couleur. L'image semble ainsi flotter sur l'arrière-plan de la page au lieu d'y être fermement appliquée. Pour créer ce type d'image, on peut utiliser LView Pro sous Windows.

Une bonne résolution

"Je promets de n'utiliser que des images qui se chargent rapidement et de ne pas fatiguer la vue de mes visiteurs." Telle est la résolution que vous devriez prendre. Pour y parvenir, vous allez devoir manipuler des nombres. Le premier est un rapport ; le *nombre de bits par pixel*. Demandez-vous combien il faut de bits pour créer un seul pixel dans le format que vous allez utiliser pour vos images.

Les programmes les plus évolués vous permettent d'agir sur cette valeur en tenant compte des deux considérations suivantes :

✔ Plus il y a de bits par pixel, plus le rendu des couleurs pourra comporter de couleurs subtiles et différenciées.

✔ Moins il y a de bits par pixel, plus petite sera la taille de votre image, donc plus court son temps de chargement. Au détriment de sa finesse, malheureusement.

Il est évidemment inutile d'utiliser davantage de bits par pixel que les navigateurs n'en peuvent traiter. Ne pas tenir compte de cette particularité serait un pur gaspillage de bande passante. Pour débuter, donnez à ce nombre une valeur de 7 (voire 5, seulement) pour les grandes images. Pour les plus petites, vous êtes libre de choisir le meilleur équilibre entre la finesse du rendu et la taille de l'icône.

Le deuxième nombre magique permettant de réduire la taille d'une image est le *nombre de couleurs* de l'image. S'il n'est pas nécessaire de distinguer deux nuances de vert aussi proches que l'armoise et la chartreuse, adoptez le *vert léger* pour les deux. Vous réduirez de cette façon la taille de l'image.

Les mérites de l'entrelacement

Une image GIF entrelacée est un moyen d'afficher progressivement la totalité d'une image avec des détails qui deviennent de plus en plus fins. Cela se réalise par un balayage de l'image, d'abord avec quelques lignes seulement (il n'y en a qu'une sur quatre de visible au début). Vous commencez ainsi à voir une image plutôt grossière dont les détails s'affinent de plus en plus, un peu comme si vous ouvriez progressivement les lamelles d'un store vénitien.

Une image GIF standard demande 8 bits par pixel, ce qui lui permet d'afficher 256 couleurs. Si vous réduisez ce nombre à 7, vous ne disposerez plus que de 128 couleurs. Si vous le réduisez à 5, il vous restera 32 couleurs. Certains programmes comme Paint Shop Pro (un shareware) et Adobe Photoshop (un logiciel commercial) vous permettent de choisir le nombre de bits par pixel d'une image GIF.

Rappel de quelques bonnes règles

🖌 Faites une esquisse de votre mise en page avec et sans images.

🖌 Concentrez-vous sur l'aspect global de votre page et son contenu.

🖌 Réduisez autant que faire se peut la taille de vos images.

🖌 Créez un lien entre des *vignettes* et les images correspondantes en vraie grandeur pour laisser à l'utilisateur le choix d'afficher ou non ces dernières.

🖌 Indiquez la taille des grandes images dans le texte qui les accompagne.

🖌 Usez parcimonieusement des images afin de ne pas affaiblir leur force.

🖌 Pensez à ceux de vos visiteurs qui n'affichent pas les images.

🖌 Les images ne doivent être là que pour renforcer le texte.

Il y a toujours une solution de rechange

Les images sont attractives. Tout auteur Web aime bien jouer avec elles mais ce n'est pas une raison suffisante pour en mettre dans toutes vos pages. D'abord, tous vos visiteurs n'ont pas la même perception des couleurs, certains étant même incapables de les distinguer nettement. Ensuite, ne prenez pas vos visiteurs pour des imbéciles. Ils s'apercevront bien vite, si tel est le cas, que l'abondance des images colorées et pimpantes est là pour masquer le vide intellectuel du texte. Sur le Web, le temps s'écoule différemment de la vie réelle : vous n'avez que quelques secondes pour faire bonne impression, et si vous négligez le contenu de vos pages les utilisateurs ne vont pas s'éterniser.

Mise en forme
de vos informations

"... et si vous cliquez sur l'icône de la bouche
d'incendie, il marque son territoire."

Dans cette partie...

C'est dans cette troisième partie que vous allez devoir retrousser vos manches et mettre vos mains dans le cambouis HTML. Autrement dit, c'est maintenant le moment de vous mettre à découvrir de plus près tout un ensemble de balises. Nous allons commencer par celles qui donnent au document HTML sa structure globale et définissent son contenu. Nous passerons ensuite aux balises de présentation grâce auxquelles HTML gère les polices de caractères et le style du texte.

Chapitre 8

Structure
d'un document HTML

. . . .

Dans ce chapitre :

▶ Identification des différentes versions de HTML.

▶ Des commentaires pour la postérité (ou, du moins, pour plus tard).

▶ Construction d'un document HTML de bas en haut.

▶ Ce que peut contenir le corps d'un document HTML.

▶ Création de divisions dans un document.

▶ Du bon usage des différents niveaux de titres.

▶ Description du contenu d'un document HTML à l'usage des robots d'exploration et des moteurs de recherche.

▶ Quel titre donner à un document HTML ?

▶ Création d'un style HTML.

. . . .

*L*a réalisation d'une page Web bien construite réclame le bon usage d'un certain nombre de balises HTML destinées à décrire sa composition et sa structure et à lui donner un titre. A l'intérieur du document, vous avez à votre disposition des balises vous permettant d'établir des subdivisions correspondant à la signification des différentes parties du contenu. Dans ce chapitre, nous allons vous parler des balises structurelles, et de la façon d'utiliser les balises obligatoires et celles qui sont facultatives.

L'importance de la structure d'un document

Que ce soit au niveau conceptuel ou par défaut, tous les documents HTML possèdent une structure d'une espèce ou d'une autre. La présence de certaines balises est indispensable pour que la page puisse être reconnue comme un document HTML valide. Nous les appellerons *balises de structure globale* parce que ce sont elles qui définissent et contrôlent la structure du document HTML. Avant que nous prenions un vrai départ, rappelez-vous quelles sont les trois parties d'un document HTML :

- ✓ Le code qui contient des informations strictement HTML.

- ✓ Une section d'en-tête déclarative.

- ✓ Une section (le corps) recevant le contenu proprement dit du document.

Les navigateurs sont permissifs

Il existe des logiciels de validation capables de tester la "qualité" d'un document HTML, c'est-à-dire de vérifier si sa syntaxe et sa structure sont conformes à la spécification HTML 4. Si vous les utilisez, vous découvrirez rapidement que ce qui est accepté imperturbablement par un navigateur n'est pas toujours conforme aux spécifications HTML. A ce jour, ce n'est pas un vrai problème, car la syntaxe de HTML n'est pas très (trop) rigoureuse. Il n'en sera pas de même lorsque XHTML (*eXtensible HTML*), la nouvelle spécification dont le W3C tente de promouvoir l'utilisation, aura réellement acquis l'adhésion des auteurs Web.

Modèle type d'un document HTML correctement écrit

En raison de l'évolution de HTML vers XHTML, nous avons l'intention de mettre l'accent sur les pratiques les plus rigoureuses. Dans ce but, nous allons vous présenter un modèle de document HTML valide et bien construit dans lequel les éléments exigés seront présentés en gras, alors que les éléments facultatifs seront en caractères maigres ordinaires.

Comme nous n'étudierons les entités de caractères qu'au Chapitre 12, nous n'avons utilisé ici que des caractères non accentués. Qu'on veuille bien nous pardonner ces fautes d'orthographe (qui ne sont ni des fautes de syntaxe ni des erreurs de structure). (N.d.T.)

```
<!DOCTYPE HTML PUBLIC
    "-//W3C//DTD HTML 4.0 Transitional //EN"
    "http://www.w3.org/TR/REC-html40/loose.dtd">
```

```html
<html>
<head>
<title>Modele type d'un document HTML bien
    construit</title>
<base href="http://www.lanw.com">
<style>
body {background color:pink}
h1 {font:14pt Times bold}
 p {font: 12 Times; text-align: justify;}
</style>
<meta http-equiv="Resource type"
    content="document">
<meta http-equiv="Copyright"
    content="LANWrights , Inc. 2000">
</head>
<!-- Fin de la section d'en-tete du document -->
<body> <!-- Debut de la section du corps du document -->
<div>
<h1>Titre de niveau 1</h1>
Ceci est une section du document.
</div>
<div>
Ceci est une autre section, plus longue, du document. <p>Notez que
la taille du texte reste inchangee jusqu'a l'apparition de la
premiere balise &lt;p&gt;. A l'interieur de cette section, nous
pouvons aussi ajouter une section span
</p>
<span type="text/css" style="font-size: 18pt">
Le texte contenu dans la balise span s'affiche avec
une police de taille superieure
</span>
Ici, retour au format de caracteres original mais
sans rupture de ligne.
</div> <!-- Fin de la seconde division -->
</body> <!-- Fin du corps du document >
</html> <!-- Fin du document HTML -->
```

La Figure 8.1 vous présente la façon dont Internet Explorer 5.5
interprète ce document HTML. Ce qu'on obtient avec Netscape
Navigator 6.1 est reproduit sur la Figure 8.2. On pourra remarquer des
différences entre les deux présentations. Elles touchent principalement le respect des règles de style, par exemple en ce qui concerne la
couleur de fond définie comme étant le rose et correctement rendue
par Internet Explorer alors que Netscape Navigator l'ignore et produit
un fond de page de la couleur par défaut : le blanc.

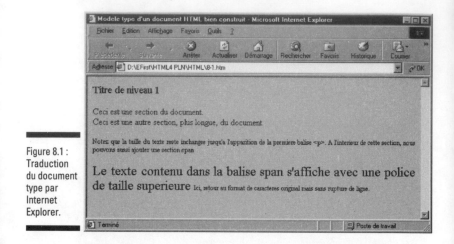

Figure 8.1 :
Traduction
du document
type par
Internet
Explorer.

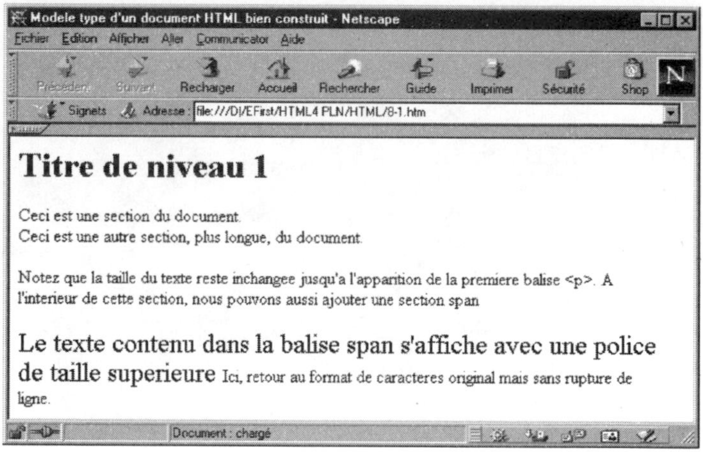

Figure 8.2 :
Traduction
du document
type par
Netscape
Navigator.

A l'exception de la balise <title>, les informations contenues dans la section d'en-tête du document n'affichent rien de particulier dans la fenêtre du navigateur.

Nous allons maintenant analyser les différentes balises qui apparaissent dans ce document type.

Les commentaires <!-- ... -->

Le navigateur ignore tout ce qui se trouve entre les "balises" initiale et terminale d'un commentaire, ce qui permet d'insérer des remarques à l'intérieur du contenu du document HTML, facilitant ainsi sa maintenance ultérieure.

La présence d'un commentaire est licite à l'intérieur de n'importe quelle balise. Voici un exemple de commentaire dans un document HTML :

```
<!DOCTYPE HTML PUBLIC "-//W3C//DTD HTML 4.01 Transitional//EN"
     "http://www.w3.org/TR/html4/loose.dtd">
<html>
<head>
<title>Document sans titre</title>
<meta http-equiv="Content-Type"
     content="text/html; charset=iso-8859-1">
</head>
<body>
<p>Pour voir le commentaire, il faut afficher le
source du document.</p>

<!-- Ceci est un commentaire -->
</body>
</html>
```

<!DOCTYPE> type de document

Cette balise, dont la structure a la structure habituelle des balises, sert à spécifier quelle est la version de HTML qui sera utilisée dans le document en tête duquel elle se trouve. Tout document HTML devrait contenir cette déclaration qui doit être la première ligne de tout document HTML, avant même la balise <html>. On ne doit pas la trouver ou la retrouver à un autre endroit du document. Bien que la présence de cet élément soit requise dans tout document HTML, les navigateurs s'accommodent fort bien de son absence. Aussi n'en dirons-nous pas davantage à son sujet.

<address> ... </address>

Cette balise est destinée à renfermer des informations concernant l'auteur de la page : nom et adresse(s) et autres informations de contact. La plupart des navigateurs affichent simplement son contenu en italique, sans mise en page particulière. Sa présence n'est pas obligatoire. L'endroit le plus approprié d'un document HTML où peut apparaître cette balise est le pied de page. En voici un exemple d'utilisation :

```
<!DOCTYPE HTML PUBLIC "-//W3C//DTD HTML 4.01
    Transitional//EN"
    http://www.w3.org/TR/html4/loose.dtd">
<html>
<head>
<title>Document sans titre</title>
<meta http-equiv="Content-Type"
        content="text/html; charset=iso-8859-1">
</head>
<body>
<address>Copyright &copy; 2000, Votre nom<br>
Revise -- Date de revision<br>
URL: <a href="http://URL.de-cette-page.ici">
http://URL.de-cette-page.ici.</a>
</address>
</body>
</html>
```

<base> Base d'adressage relatif

Cette balise sert à définir l'URL de base pour un ensemble de pages Web. A partir du moment où elle figure dans la section d'en-tête d'un document HTML (qui est le seul endroit où sa présence soit autorisée), toutes les URL apparaissant dans la section <body> du document HTML seront préfixées par cette base. Autrement dit, elles sont *relatives* à cette URL de base. La présence de cette balise n'est pas obligatoire et elle est assez rarement utilisée. C'est un élément vide, c'est-à-dire qu'il n'existe pas de balise terminale </base>.

Elle admet deux attributs que nous allons rapidement étudier.

Attribut href

Il s'emploie sous la forme suivante :

```
href="URL"  [CT]
```

Exemple :

```
<base href="http://www.lanw.com">
```

Attribut target

Il s'emploie sous la forme suivante :

```
target="nom-de-fenetre"  [CI]
```

Dans le cas d'un site Web mettant en œuvre des cadres (voir le Chapitre 16), cet attribut spécifie la fenêtre dans laquelle devront être chargées les pages appelées par une balise <a>.

Exemple :

```
<base target="menu"> <!-- les pages seront
     chargées dans la fenêtre appelée menu -->
```

<body> ... </body> Corps du document

Cette balise doit apparaître une fois et une seule à l'intérieur d'un document HTML. Elle est destinée à contenir toutes les balises du corps du document (*body* signifie *corps*). Sa présence est obligatoire. Tous les attributs (comme, par exemple, le bien connu BGCOLOR) qui pouvaient anciennement apparaître à l'intérieur de cette balise sont maintenant considérés comme périmés et leur emploi doit être évité. Les informations correspondantes doivent maintenant être spécifiées à l'aide de feuilles de style ou avec des règles de style locales à certains endroits du document. Nous allons néanmoins donner, pour mémoire, une brève description de chacun d'eux.

Tous les attributs de couleur peuvent être spécifiés à l'aide d'un triplet RGB (de la forme #rrggbb) ou d'un nom reconnu de couleur.

Attribut alink

Cet attribut définit la couleur d'affichage des liens actifs (c'est-à-dire couramment sélectionnés). Sa forme générale est la suivante :

```
<body alink="#rrggbb">  [CI]
```

ou :

```
<body alink="nom de couleur">  [CI]
```

Exemple :

```
<body link="cyan">
    <!-- les liens actifs seront affichés en cyan -->
```

Attribut background

Cet attribut spécifie l'image qui sera utilisée comme arrière-plan (fond de page). Elle sera généralement reproduite par effet de mosaïque en autant d'exemplaires que nécessaire pour couvrir toute la fenêtre du navigateur. Sa forme générale est la suivante :

```
<body background = "URL" [CT]
```

Exemple :

```
<body background = "images/trame.jpg"
```

Attribut bgcolor

Cet attribut spécifie la couleur du fond de page. Sa forme générale est la suivante :

```
<body bgcolor="#rrggbb"> [CI]
```

ou :

```
<body bgcolor="nom de couleur"> [CI]
```

Attribut link

Cet attribut définit la couleur d'affichage des liens non encore visités. Par défaut, sa valeur est le bleu. Sa forme générale est la suivante :

```
<body link="#rrggbb"> [CI]
```

ou :

```
<body link="nom de couleur"> [CI]
```

Exemple :

```
<body alink="red">
    <!-- les liens non encore visités seront
        affichés en rouge -->
```

Attribut text

Cet attribut définit la couleur d'affichage du texte. Par défaut, sa valeur est le noir. Sa forme générale est la suivante :

```
<body text="#rrggbb"> [CI]
```

ou :

```
<body text="nom de couleur"> [CI]
```

Exemple :

```
<body text="yellow">
     <!-- le texte sera affiché en jaune -->
```

Attribut vlink

Cet attribut définit la couleur d'affichage des liens déjà visités (depuis la dernière fois que le contenu du cache a été rafraîchi). Par défaut, ce sera généralement le pourpre (#0033FF). Sa forme générale est la suivante :

```
<body vlink="#rrggbb"> [CI]
```

ou :

```
<body vlink="nom de couleur"> [CI]
```

Exemple :

```
<body vlink="green">
     <!-- les liens déjà visités seront affichés en vert -->
```

<div> ... </div> Division logique

Cette balise sert à créer des divisions logiques à l'intérieur d'une page Web. Chacune d'entre elles peut ainsi avoir un style d'affichage différent (polices de caractères, couleur, alignement...). Nous allons étudier séparément chacun de ses attributs.

Attribut align

Sa forme générale est la suivante :

```
align="LEFT" | "CENTER |"RIGHT" |"JUSTIFY"  [CI]
```

Son emploi est maintenant déconseillé au profit des feuilles de style. Il servait à spécifier l'alignement horizontal d'un paragraphe. Sa valeur par défaut est la valeur LEFT.

Attribut style

Sa forme générale est la suivante :

```
<div style="texte">
```

où *texte* représente n'importe quel couple *propriété=valeur* licite (voir le Chapitre 18 à propos des feuilles de style).

Exemples :

```
<div style="color:navy">
```

Exemple :

```
<!DOCTYPE HTML PUBLIC "-//W3C//DTD HTML 4.01
  Transitional//EN"
  "http://www.w3.org/TR/html4/loose.dtd">
<html>
<head>
<title>Document sans titre</title>
<meta http-equiv="Content-Type"
    content="text/html; charset=iso-8859-1">
</head>
<body>
<div align="center">Ceci est une section.
</div>

<div align="right">Ceci est une autre section.
</div>
</body>
</html>
```

<h*> ... </h*> Titres, sous-titres et intertitres

La bonne utilisation des différents niveaux de titres vous permet de mieux organiser votre contenu et en facilite la lecture. Les titres sont affichés avec une police de taille allant en décroissant depuis ⟨h1⟩ jusqu'à ⟨h6⟩. La Figure 8.3 vous en montre un exemple. Cet élément est facultatif, mais vous aurez du mal à trouver une page Web qui n'en fasse pas usage. Pratiquement, on n'utilise guère que les quatre premiers niveaux.

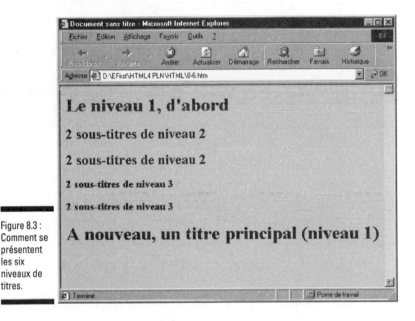

Figure 8.3 :
Comment se présentent les six niveaux de titres.

Attribut align

Il précise la position du titre dans la largeur de la page. Par défaut, valeur est LEFT. Son emploi est maintenant déconseillé au profit des feuilles de style. Sa forme générale est la suivante :

```
align="LEFT" | "CENTER" |"RIGHT" |"JUSTIFY" [CI]
```

Voici un exemple d'utilisation de la balise ⟨h*⟩ :

```
<!DOCTYPE HTML PUBLIC "-//W3C//DTD HTML 4.01
   transitional//EN"
   "http://www.w3.org/TR/html4/loose.dtd">
<html>
<head>
```

```
<title>Document sans titre</title>
<meta http-equiv="Content-Type"
      content="text/html; charset=iso-8859-1">
</head>
<body bgcolor="#FF88FF">
<h1>Le niveau 1, d'abord</h1>

<h2>2 sous-titres de niveau 2</h2>

<h2>2 sous-titres de niveau 2</h2>

<h3>2 sous-titres de niveau 3</h3>

<h3>2 sous-titres de niveau 3</h3>

<h1>A nouveau, un titre principal (niveau 1)</h1>
</body>
</html>
```

<head> ... </head> La section d'en-tête du document

Cette balise crée un conteneur pour toutes sortes d'informations visant à décrire un document HTML : titre, informations pour les moteurs de recherche, informations d'index, pointeur vers la page suivante et même liens vers d'autres documents HTML. Elle est obligatoire au début de tout document HTML mais la plupart des navigateurs s'en passent très bien. Le seul attribut qu'elle admette, `profile="URL"` est pratiquement ignoré de tous les navigateurs actuels.

<html> ... </html> Document HTML

Cette paire de balises renferme la totalité d'un document HTML à l'exclusion de la "balise" `<!DOCTYPE>`. Sa présence est obligatoire pour que le document HTML soit valide. Elle admet un seul attribut, `version="URL"` qui n'a jamais été implémenté par les navigateurs. Alors, autant l'oublier tout de suite.

<meta> Méta-informations

Elle ne peut apparaître que dans la section `<head> ... </head>` d'un document HTML. Elle contient certaines informations exploitables par les serveurs et les clients Web et peut aider à identifier, indexer ou cataloguer certains documents spécialisés. C'est le domaine d'élection des robots d'exploration.

Attribut name

Sa forme générale est la suivante :

```
name="texte"  [CS]
```

Cette information concerne plusieurs propriétés du document HTML et, en particulier, son auteur et sa date de publication. Si cet attribut est omis, c'est la valeur de l'attribut http-equiv qui est prise par défaut.

Exemple :

```
<meta name="author" content="Ed Tittel">
```

Attribut content

Sa forme générale est la suivante :

```
content="texte"  [CS]
```

Cet attribut fournit une valeur à une propriété repérée par son nom ou à un en-tête de réponse http-equiv.

Attribut http-equiv

Sa forme générale est la suivante :

```
http-equiv="texte"  [CI]
```

Cet attribut crée un lien entre l'élément et un en-tête de réponse HTML qui sera envoyé lorsqu'un robot d'exploration ou un navigateur demandera ce type d'information. Si le format de l'en-tête de réponse est connu du demandeur, son contenu pourra être traité. Un en-tête de réponse HTML est insensible à la casse. Si cet attribut est omis, c'est la valeur de l'attribut name qui est utilisée par défaut.

Exemple :

```
<meta http-equiv="Copyright" content="LANWrights, Inc. -- 1999">
```

Attribut scheme

Cet attribut identifie le modèle à employer pour interpréter les valeurs des propriétés. Il n'est nécessaire que lorsque les informations demandent une interprétation pour avoir un sens. Le listing qui suit montre un exemple de l'utilisation des balises `<meta>` tel qu'on le trouve sur le site Web de LANWrights.

```
<!DOCTYPE HTML PUBLIC "-//W3C//DTD HTML 4.01
  Transitional//EN"
  "http://www.w3.org/TR/html4/loose.dtd">
<html>
<head>
<title>
LANWrights - Network-Oriented Writing and Consulting
</title>
<meta http-equiv="Content-Type"
      content="text/html; charset=iso-8859-1">
<meta http-equiv="content-type"
      content="text/html;charset=iso-8859-1">
<meta http-equiv="Resource-type"
      content="document">
<meta http-equiv="Description"
      content="LANWrights, Inc.">
<meta http-equiv="Keywords"
      content="internet, vrml, books, networking, mac,
               windows, www, email, electronic commerce,
               intranet, HTM">
<meta http-equiv="Distribution"
      content="global">
<meta http-equiv="Copyright"
      content="LANWrights, Inc. -- 1997">
<meta http-equiv="Reply-to"
      content="webmaster@lanw.com">

<link href="lanwstyle.css"
      type="text/css"
      rel="STYLESHEET">

</head>
<body bgcolor="#FFFFFF">
Pour voir les balises &lt;meta&gt;, examinez le
source de ce document.
</body>
</html>
```

<span> ... </span> Informations de style locales

Cette balise permet d'appliquer des informations de style au moyen de l'attribut `style` à n'importe quel fragment de code HTML contenu dans un document.

attribut style

Sa forme générale est la suivante :

```
style="texte" [CN]
```

où *texte* représente n'importe quel couple *propriété=valeur* licite (voir le Chapitre 18 à propos des feuilles de style).

Exemple :

```
<span style="color:navy">
```

L'extrait ci-dessous vous montre un exemple d'utilisation de la balise `<span>` :

```
<!DOCTYPE HTML PUBLIC "-//W3C//DTD HTML 4.01
   Transitional//EN"
   "http://www.w3.org/TR/html4/loose.dtd">
<html>
<head>
<title>Document sans titre</title>
<meta http-equiv="Content-Type"
      content="text/html; charset=iso-8859-1">
</head>

<body>
<h2>Dans ce titre le mot
<span style="color:red">couleur</span> est en rouge</h2>
</body>
</html>
```

<style> ... </style> Informations concernant le style

Grâce à cette balise, vous pouvez modifier l'affichage de tout ou partie de votre document HTML au moyen de couples *propriété=valeur* licites dans les feuilles de style (voir le Chapitre 18). L'emploi de cette balise est facultatif. Elle admet les deux attributs suivants :

type

Cet attribut permet de spécifier le type de feuille de style utilisé. Actuellement, on est limité à `<style type="text/css">` ou `<style type="text/css2">`.

media

Cet attribut est destiné à spécifier le type de support (média) utilisé pour *communiquer* le contenu d'une page Web au visiteur. Il n'est actuellement reconnu par aucun navigateur.

<title> ... </title> Titre général du document HTML

Cette balise définit le titre général du document. Il ne faut pas la confondre avec `<h*>` que nous avons vu plus haut. `<title>` donne un titre au document et l'affiche généralement dans la barre de titre de la fenêtre du navigateur. Sa présence n'est licite qu'à l'intérieur de la section d'en-tête (`<head> ... </head>`). Le texte contenu dans la balise `<title>` ne doit contenir que des caractères "vrais" à l'exclusion de toute mise en forme. Cette balise n'a pas d'attribut.

Efforcez-vous de donner à vos documents HTML des titres significatifs, car cela facilitera le classement de votre page par les robots d'exploration. Voici un exemple d'utilisation de cette balise :

```
<!DOCTYPE HTML PUBLIC "-//W3C//DTD HTML 4.01
    Transitional//EN"
    "http://www.w3.org/TR/html4/loose.dtd">
<html>
<head>
<title>C'est ici que s'affiche le titre</title>
<meta http-equiv="Content-Type"
      content="text/html; charset=iso-8859-1">
</head>

<body>
<p>Pour voir la balise &lt;title&gt;, affichez
le source de ce document.</p>
```

```
</body>
</html>
```

Pour conclure

Avant d'écrire la section précédente, nous avions créé un exemple de document HTML qui présente toutes les balises structurelles que nous venons de décrire dans ce chapitre. Si vous revenez à chacune des définitions que nous venons de donner en étudiant ce document ligne par ligne, vous aurez une juste idée du rôle joué par ces balises de structure.

La meilleure façon de comprendre l'importance des balises structurelles est de voir de quelle façon elles définissent les conteneurs de texte et, plus généralement, de tout ce que peut renfermer un document HTML.

- ✔ `<!DOCTYPE>` identifie l'ensemble du document HTML où il apparaît.

- ✔ `<head>`, `<title>`, `<style>`, `<meta>` et `<base>` préparent le décor pour ce qui va suivre.

- ✔ `<body>`, `<div>`, la série `<h1>` à `<h6>` et `<span>` identifient les conteneurs à l'intérieur desquels vont se trouver les éléments du contenu du document HTML.

Contrôles
de présentation

*H*TML propose une large gamme de balises destinées à vous permettre de gérer la façon dont le texte est affiché sur l'écran. Elles gouvernent le choix des polices de caractères, du style du texte, des couleurs, etc. On les appelle *contrôles de présentation*, car elles vous permettent de modifier la présentation de votre texte.

Style opposé à présentation

Parmi les balises gouvernant l'aspect du texte, les plus intéressantes sont probablement celles qui vous permettent de choisir votre police de caractères, son corps, sa graisse et son inclinaison.

A l'exception de la balise qui contrôle la direction d'affichage du texte (`<bdo>`), toutes celles que nous allons voir maintenant peuvent être remplacées par des commandes de style de type CSS. D'ailleurs, l'emploi d'une grande partie de ces balises est maintenant déconseillé par le W3C. Le Tableau 9.1 vous présente la liste des balises considérées maintenant comme périmées et dont l'emploi est déconseillé.

Tableau 9.1 : Balises de présentation dont l'emploi est déconseillé.

Balise	Ce qui est déconseillé	Explication
`<basefont>`	Balise et attributs	Choix de la police par défaut
`<center>`	Balise	Centrage du contenu
`<font>`	Balise et attributs	Choix de la police, de son corps et de sa couleur
`<hr>`	Tous les attributs	Filet horizontal
`<s>`	Balise	Affichage de texte barré
`<strike>`	Balise	Identique à `<s>`
`<u>`	Balise	Affichage de texte souligné

Outre les balises énumérées au Tableau 9.1, nous vous suggérons d'éviter celles figurant au Tableau 9.2 (bien que leur emploi ne soit pas déconseillé par le W3C), car les effets qu'elles produisent peuvent être obtenus de façon bien plus rationnelle à l'aide des feuilles de style (voir le Chapitre 18 à ce sujet).

Tableau 9.2 : Balises dont l'emploi est à éviter.

Balise	Explication
`<big>`	Augmente le corps de la police de caractères
`<small>`	Diminue le corps de la police de caractères
`<tt>`	Commande le choix d'une police à pas fixe (du type Courier)

Contrôle d'une présentation avec des balises

Une fois éliminées les balises énumérées dans les Tableaux 9.1 et 9.2, il ne reste plus que la seule balise `<bdo>`, que, seuls, les navigateurs les plus récents reconnaissent. Pour éviter de fastidieuses répétitions, nous supposerons que les exemples que nous allons donner sont placés à l'intérieur de la structure suivante :

```
<!DOCTYPE HTML PUBLIC "-//W3C//DTD HTML 4.01
   Transitional//EN"
```

```
        "http://www.w3.org/TR/html4/loose.dtd">
<html>
<head>
<title>Document sans titre</title>
<meta http-equiv="Content-Type"
        content="text/html; charset=iso-8859-1">
</head>

<body>
    ... exemple d'emploi de balise ...
</body>
</html>
```

<b> ... </b> Mise en gras du texte

Le texte contenu à l'intérieur de cette balise sera affiché en gras, ce qui vous permet de mettre en relief un mot, une expression, un paragraphe ou même une division entière. Les feuilles de style vous permettent d'aller plus loin en choisissant parmi plusieurs valeurs l'épaisseur de la "graisse" que vous allez apporter au texte. Le document HTML qui suit vous montre un exemple d'utilisation de cette balise illustré par la Figure 9.1.

```
<b>Salut</b>, les copains !
```

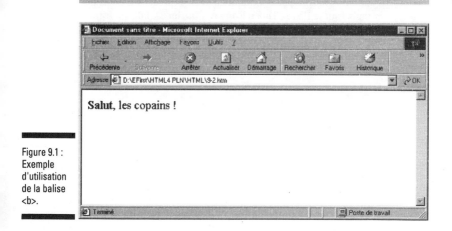

Figure 9.1 :
Exemple
d'utilisation
de la balise
<b>.

<basefont> Choix de la police de caractères par défaut

La balise <basefont> définit les paramètres de la police de caractères qui sera utilisée par défaut dans tout le texte d'un document HTML. Elle se place dans la section d'en-tête (<head> ... </head>) du document. Elle reconnaît trois attributs.

color

Il définit la couleur par défaut de la police de caractères. Sa forme générale est la suivante :

```
color= "#RRGGBB" | "nom-de-couleur" [CI]
```

Exemple :

```
<basefont color="teal">
```

Cette couleur a pour équivalent en triplet RGB : #669999.

face

Cet attribut précise le nom de la police qui sera utilisée par défaut dans tout le texte : Times Roman, Courier, Arial... Sa forme générale est la suivante :

```
face="nom-de-police" [CI]
```

size

Cet attribut définit le corps de la police de caractères utilisée par défaut dans tout le texte (c'est-à-dire sa taille). Sa forme générale est la suivante :

```
size="nombre" [CN]
```

Sa valeur doit être comprise entre 1 et 7 (bornes comprises, valeur par défaut : 3) où 7 correspond à la plus grande valeur possible. On peut aussi utiliser une notation relative en faisant précéder le nombre par un signe plus ou par un signe moins. Par exemple, <basefont size="-2"> affichera le texte avec une police d'une taille deux fois inférieure à la taille courante. Le document HTML qui suit vous montre un exemple d'utilisation de cette balise illustré par la Figure 9.2.

```
<basefont size="14" face="monospace">
Tout le texte sera affiche avec une police
a pas fixe et en corps 14
```

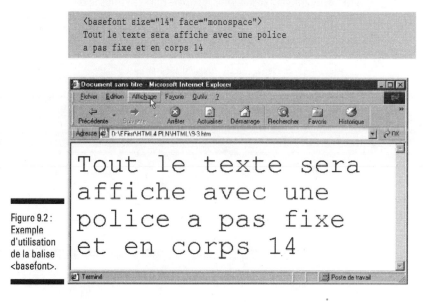

Figure 9.2 : Exemple d'utilisation de la balise <basefont>.

<bdo> ... </bdo> Algorithme bidirectionnel

Cette balise définit la langue principale qui sera utilisée pour écrire le texte ainsi que le sens de l'affichage. Rien n'est prévu dans les spécifications du W3C pour écrire de haut en bas au lieu du sens habituel du haut vers le bas. Elle reconnaît deux attributs que nous allons maintenant étudier.

dir

Il définit le sens horizontal de l'affichage. Sa forme générale est la suivante :

```
dir="LTR" | "RTL" [CI]
```

LTR (valeur par défaut) signifie *left to right* (de gauche à droite). RTL signifie *right to left* (de droite à gauche).

lang

Cet attribut définit la langue principale qui sera utilisée dans le
document. En voici quelques exemples : en (anglais), fr (français), de
(allemand), he (hébreu)... La spécification ISO 639a définit la liste des
codes de langues reconnus.On pourra la consulter à l'URL :

```
http://www.oasis-open.org/cover/iso639-2a.html
```

Le fragment qui suit montre un exemple d'utilisation de cette balise
illustré par la Figure 9.3.

```
<bdo dir=RTL>
Ce texte sera affiche de droite a gauche par le navigateur
</bdo>
<br>
<bdo dir=LTR>
Ce texte sera affiche de gauche a droite par le navigateur
</bdo>
```

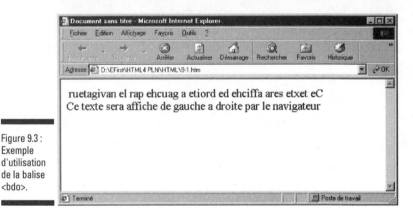

Figure 9.3 :
Exemple
d'utilisation
de la balise
<bdo>.

<big> ... </big> ou <small> ... </small>
Affichage avec une police plus grande ou petite

Cette balise sélectionne une police de caractères de taille supérieure
ou inférieure pour afficher le texte qu'elle renferme. Le fragment qui
suit en montre un exemple d'utilisation illustré par la Figure 9.4.

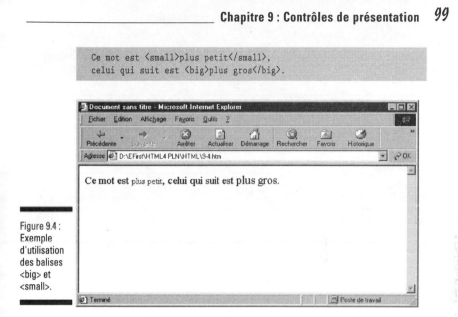

```
Ce mot est <small>plus petit</small>,
celui qui suit est <big>plus gros</big>.
```

Figure 9.4 :
Exemple
d'utilisation
des balises
<big> et
<small>.

<center> ... </center> Centrage du texte

Cette balise a pour effet de centrer dans la fenêtre du navigateur le
texte qu'elle renferme. Elle provoque un retour à la ligne dans le texte
qui la précède et celui qui la suit. Le fragment qui suit en montre un
exemple d'utilisation illustré par la Figure 9.5.

```
<p>Cette balise a pour effet de centrer dans la fenetre
du navigateur le texte qu'elle renferme. <center>
Elle provoque un retour a la ligne </center>dans le texte
qui la precede et celui qui la suit.
```

<font> ... </font> Choix d'une police de caractères

Cette balise définit le type, le corps et la couleur du texte qu'elle
renferme. Si la police de caractères référencée n'est pas installée sur la
machine du visiteur, ce sera la police de caractères par défaut du
navigateur qui sera utilisée. Cette balise reconnaît trois attributs.

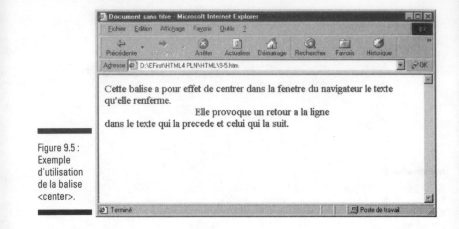

Figure 9.5 :
Exemple
d'utilisation
de la balise
<center>.

color

Il définit la couleur par défaut de la police de caractères. Sa forme générale est la suivante :

```
color= "#RRGGBB" | "nom-de-couleur" [CI]
```

Exemple :

```
<basefont color="teal">
```

Cette couleur a pour équivalent en triplet RGB : #669999.

face

Sa forme générale est la suivante :

```
face="nom1, nom2, nom3" [CI]
```

Cet attribut propose plusieurs noms de polices. Celle qui sera réellement utilisée sera la première de la liste réellement installée dans le navigateur.

Exemple :

```
<font face="Times Roman, Courier, Arial"
```

size

Cet attribut définit le corps (c'est-à-dire la taille) de la police de
caractères utilisé par défaut dans tout le texte. Sa valeur doit être
comprise entre 1 et 7 (bornes comprises, valeur par défaut : 3), où 7
correspond à la plus grande valeur possible. On peut aussi utiliser une
notation relative en faisant précéder le nombre d'un signe plus ou d'un
signe moins (`<font size="-2">` affichera du texte avec une police
d'une taille deux fois inférieure à la taille par défaut). Sa forme
générale est la suivante :

```
size="nombre" [CN]
```

Une balise `<font>` peut être imbriquée dans une autre balise `<font>` ;
leurs effets sont cumulatifs, comme on peut le voir sur l'exemple qui
suit et qui est reproduit Figure 9.6.

```
<basefont size=4>La taille normale du texte est fixee a 4.<br>
<font size="+2">Maintenant, elle vaut 6.</font><br>
<font size="-4">Maintenant elle vaut 2</font><br>
<font size="+2">
  <font size="+2">Maintenant, vaudrait-elle 6 ?
  </font>
</font><br>
```

Figure 9.6 :
Exemples
d'utilisation
de la balise
<font>

`<hr>` ... `</hr>` Affichage d'un filet horizontal

La balise `<hr>` trace un trait horizontal (un *filet*) ayant habituellement 1 ou 2 pixels de hauteur dans la page. Ce filet sert à séparer plusieurs paragraphes successifs ou à isoler le texte de son en-tête et de son pied de page. Certains navigateurs — dont Internet Explorer — reconnaissent l'attribut `color` qui permet d'en changer la couleur. Les autres attributs dont nous allons parler dans les sections qui suivent sont reconnus par tous les navigateurs.

align

Cet attribut permet de définir le centrage du filet dans la page : à gauche, au centre (valeur par défaut) ou à droite. Sa forme générale est la suivante :

```
align="LEFT" | "CENTER | "RIGHT" [CI]
```

noshade

Cet attribut supprime l'ombrage généralement tracé au-dessous du filet pour lui donner un léger effet de relief. Sa forme générale est la suivante :

```
noshade [CI]
```

Exemple :

```
<hr noshade>
```

size

Cet attribut définit l'épaisseur du filet. Sa forme générale est la suivante :

```
size="nombre" [CI]
```

Exemple :

```
<hr size="10">
```

width

Cet attribut définit la largeur du filet, soit en pixels (première forme) ou en pourcentage de la largeur de la fenêtre du navigateur (seconde forme). Sa forme générale est :

```
width="nb" | "%" [CI]
```

Exemple :

```
<hr width="50%">
```

<i> ... </i> Affichage en italique

Cette balise affiche en italique le texte qu'elle renferme. L'italique sert à marquer le caractère particulier d'un mot, d'une expression ou d'un paragraphe. Notez que, pour marquer une citation, il existe une autre balise : `<cite> ... </cite>`.

<s> ... </s> ou <strike> ... </strike> Affichage en texte barré

L'effet de cette balise est d'afficher le texte qu'elle renferme en le barrant. Autrement dit, les mots sont traversés par une ligne horizontale, comme on peut le voir sur la Figure 9.7. Cette forme d'enrichissement de texte est principalement utilisée aux Etats-Unis pour certains textes légaux. Exemple :

```
Ce texte est normal <s>alors que celui-ci est barre</s>
```

<tt> ... </tt> Affichage avec une police à pas fixe

L'action de cette balise consiste à afficher le texte qu'elle renferme avec une police à pas fixe de type Courier. Il existe deux autres balises similaires : `<kbd> ... </kbd>` et `<code> ... </code>`, toutes deux considérées comme périmées par le W3C. Exemple :

```
Le mot <tt>Teletype</tt> est affiché avec
une police a pas fixe.
```

`<u> ... </u>` *Affichage en souligné*

L'action de cette balise consiste à afficher le texte qu'elle renferme en le soulignant.Exemple :

```
Le texte qui suit est <u>important</u>.
```

Chapitre 10

Contrôles de texte

Dans ce chapitre :

▶ Citations courtes et longues.

▶ Ruptures de ligne et frontières de paragraphes.

▶ Marquage du texte ajouté ou supprimé.

▶ Différents degrés d'insistance.

▶ Différentes formes de typographie, du clavier aux variables.

▶ Exposants et indices.

À la différence de ce que nous avons vu au Chapitre 9, où le texte était considéré globalement, ici, nous allons nous intéresser aux détails. Dans ce chapitre, vous allez apprendre comment utiliser les balises qui vous sembleront les plus appropriées à l'effet que vous voulez obtenir.

Séparation du contenu et de sa mise en forme

Bien que de nombreuses balises apparaissant dans ce chapitre puissent produire le même effet visuel que celles que nous avons vues au Chapitre 9, il faut comprendre qu'elles cherchent davantage à *qualifier* le texte sur lequel elles portent qu'à modifier son apparence physique dans la fenêtre du navigateur.

Mise en valeur de certains types de contenu

Lorsque vous réalisez une notice d'aide en ligne pour un logiciel, vous souhaitez établir une distinction entre plusieurs types de texte. Vos utilisateurs doivent voir et comprendre immédiatement les différences qu'il y a entre :

- ✔ Le texte produit par l'exécution d'un programme pour inviter l'utilisateur à saisir une donnée.

- ✔ Le genre d'informations que l'utilisateur doit communiquer au programme.

- ✔ Ce qui va être affiché en réponse aux saisies de l'utilisateur.

- ✔ Les messages d'erreur qui peuvent résulter d'une erreur de manipulation de l'utilisateur.

N'OUBLIEZ PAS

Une nette distinction entre le *look and feel* de ces différentes sortes de texte aidera l'utilisateur à bien maîtriser votre logiciel en séparant les informations qu'il doit saisir de celles que le programme lui renverra.

Balises de contrôle du texte

Au fur et à mesure que vous allez parcourir les descriptions des balises que nous allons vous proposer dans les sections qui suivent, essayez d'associer ces balises à chaque type d'information concerné.

<blockquote> ... </blockquote>

Cette balise sert à marquer de grands blocs de texte empruntés à une autre source par une indentation sur la gauche *et* sur la droite. Elle reconnaît l'attribut *cite* qui est ignoré par tous les navigateurs, même les plus récents. La Figure 10.1 montre l'indentation que procure l'utilisation de cette balise avec le fragment ci-dessous :

```
<blockquote cite="Les procedes litteraires (Bernard
Dupriez)">On appelle baragouin une deformation soit
phonetique, soit lexicale, en vue d'obtenir une apparence
de langue etrangere alors qu'en realite, le texte est
decodable a partir du francais.
</blockquote>
<p>Qu'en pensez-vous ?</p>
```

*
 Aller à la ligne*

Cette balise crée une rupture dans l'affichage du texte, lequel poursuit au début de la ligne suivante. Elle peut être utilisée pour créer de courtes lignes de texte ou pour du texte qui doit être disposé en lignes

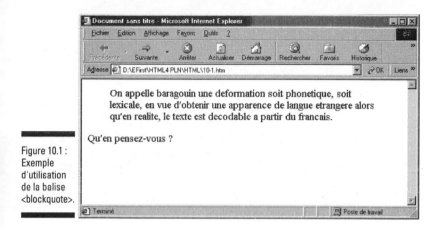

On appelle baragouin une deformation soit phonetique, soit lexicale, en vue d'obtenir une apparence de langue etrangere alors qu'en realite, le texte est decodable a partir du francais.

Qu'en pensez-vous ?

Figure 10.1 :
Exemple
d'utilisation
de la balise
<blockquote>.

successives comme des vers. Le fragment ci-dessous montre un exemple d'utilisation de cette balise illustré par la Figure 10.2.

```
Je suis la douceur qui redresse<br>
J'aime tous et n'accuse aucun<br>
Mon nom, seul, se nomme promesse.
```

Je suis la douceur qui redresse
J'aime tous et n'accuse aucun
Mon nom, seul, se nomme promesse.

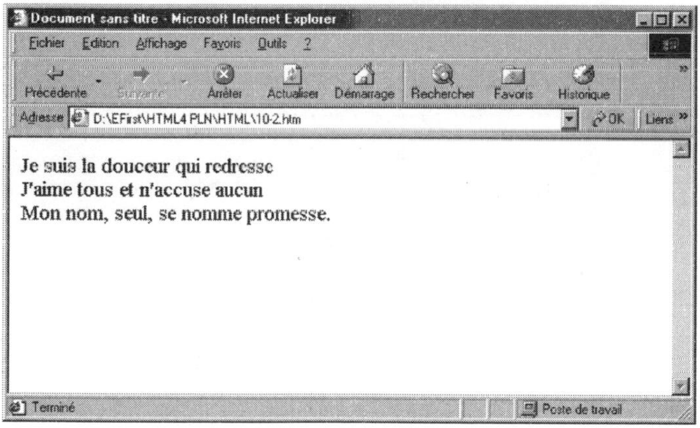

Figure 10.2 :
Exemple
d'utilisation
de la balise

.

Elle reconnaît un seul attribut dont l'usage est déconseillé par le W3C.

clear

Il peut prendre l'une des valeurs suivantes :

```
clear="LEFT" | "ALL" | "RIGHT" | "NONE" [CI]
```

LEFT insère des espaces qui alignent le texte qui suit avec la marge de gauche directement au-dessous d'une image flottante alignée à gauche. ALL place le texte qui suit après les images flottantes et RIGHT insère des espaces qui alignent le texte qui suit avec la marge de droite directement au-dessous d'une image flottante alignée à droite. NONE (option par défaut) ne fait rien du tout.

<code> ... </code> Lignes de programme

Cette balise sert à marquer un texte comme provenant d'instructions d'un programme informatique. La plupart des navigateurs afficheront ce texte avec une police de caractères à pas fixe. Elle ne reconnaît aucun attribut. En voici un exemple :

```
Sous MS-DOS, pour lister le contenu d'un dossier,
tapez la commande <code>DIR</code>.
```

Le mot DIR sera affiché avec une police à pas fixe, le reste du texte l'étant avec la police par défaut.

<del> ... </del> et <ins> ... </ins> Marquage de texte supprimé ou ajouté

Ces balises sont utilisées pour indiquer une suppression ou une insertion dans un texte ancien. Le texte placé à l'intérieur sera affiché barré (comme avec la balise <strike>) pour la suppression ou souligné (comme avec la balise <u>) pour l'insertion. Les deux attributs admis, cite et datetime, sont tous deux ignorés par tous les navigateurs, même les plus récents.

Le fragment suivant montre un exemple d'utilisation de ces balises illustré par la Figure 10.3.

```
<del cite="http://www.lanw.com/doc/changes.html">
Le résumé</del> La section Références contient la liste
des fichiers source utilisés.
<br>
<ins cite="http://www.lanw.com/doc/changes.html"
datetime="2000-05-10T09:36:00-0600">
```

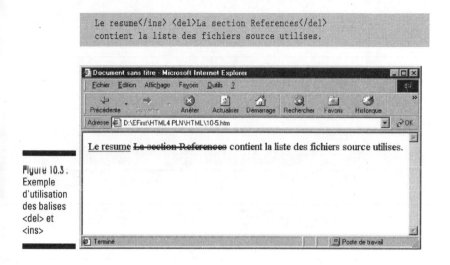

```
Le resume</ins> <del>La section References</del>
contient la liste des fichiers source utilises.
```

Le resume ~~La section References~~ contient la liste des fichiers source utilises.

Figure 10.3.
Exemple
d'utilisation
des balises
<del> et
<ins>

<dfn> ... </dfn> Définition d'un terme

Cette balise sert à repérer les termes apparaissant dans un document
HTML pour la première fois. L'affichage s'effectue généralement en
italique. Voici un exemple de son utilisation :

```
Un <dfn>pickle</dfn> est un concombre déshydrate.
```

<em> ... </em> Insistance

Cette balise sert à marquer une insistance sur le texte qu'elle renferme, insistance généralement traduite par une mise en italique. Elle
s'apparente à la balise <strong> ... </strong>. Voici un exemple
de son utilisation :

```
Pour lire cette page, <em>cliquez</em> sur ce bouton.
```

<kbd> ... </kbd> Texte saisi au clavier

Cette balise sert à indiquer que le texte qu'elle renferme doit être saisi
au clavier d'un ordinateur. Ce texte est d'habitude affiché avec une
police à pas fixe. Bien que fonctionnellement différent de <code> ...
</code> et de <tt> ... </tt> son effet sur l'écran du navigateur

est strictement identique. Voici un exemple de son utilisation, illustré par la copie d'écran de la Figure 10.4 :

```
<p>Lorsque vous voulez recopier tous les fichiers contenus
dans une disquette sur votre disque dur en conservant la
structure des dossiers de la disquette, tapez la commande :
<tt>XCOPY</tt>. Par exemple<br>
  <br>
  <kbd>XCOPY A:*.* C:\TEST</kbd><br>
  <br>
placera tous les fichiers et les dossiers de la disquette
du lecteur <tt>A:</tt> dans le dossier <tt>C:\TEST</tt>.
</p>
```

Figure 10.4 :
Exemple
d'utilisation
de la balise
<kbd>.

<p> ... </p> Paragraphe

Cette balise sert à délimiter un paragraphe de texte ordinaire. Son utilisation provoque un retour à la ligne suivi d'une ligne vierge. La balise terminale n'est pas nécessaire avec HTML mais elle l'est avec XHTML. Aussi, nous vous recommandons de l'insérer dès à présent dans vos pages Web. La création d'un nouveau paragraphe répond aux règles habituelles de l'écriture : séparer deux blocs de texte dont l'objet n'est pas identique. Elle reconnaît l'attribut align (maintenant déconseillé par le W3C) sous sa forme habituelle. En voici un exemple d'utilisation illustré par la copie d'écran de la Figure 10.5 :

```
<h2>Deux citations sur la peinture</h2>
<p>Un amateur est un artiste qui travaille pour pouvoir
peindre. Un professionnel est quelqu'un dont la femme
travaille pour qu'il puisse peindre.</p>
<p>La peinture, c'est tres facile quand vous ne savez pas
comment faire. Quand vous le savez, c'est tres difficile
</p>
```

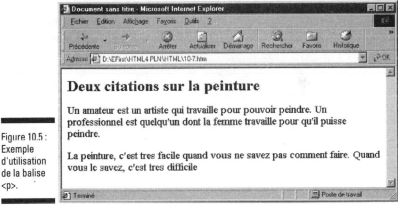

Figure 10.5 :
Exemple
d'utilisation
de la balise
<p>.

<pre> ... </pre> Texte préformaté

Le texte placé à l'intérieur de cette balise est mis en forme de façon particulière : en respectant tous les espaces, tabulations et retours chariot qui peuvent s'y trouver. Son utilisation permet d'afficher sans difficulté des tableaux à l'intérieur desquels l'alignement vertical des colonnes est respecté. Pour cela, son utilisation est bien plus simple que celle de la balise `<table>` ... `</table>` que nous étudierons au Chapitre 14. Le texte est généralement affiché avec une police à pas fixe. La balise reconnaît l'attribut `width` (dont l'emploi est maintenant déconseillé), destiné à spécifier la largeur occupée sur la page et qui n'a jamais été implémenté par aucun navigateur. Voici un exemple d'utilisation de la balise `<pre>` ... `</pre>`, illustré par la copie d'écran de la Figure 10.6 :

```
<h2>Un petit annuaire personnel</h2>
<pre>
<b>Nom            Telephone            Adresse e-mail</b>
Adam Smith     01 23 45 67 89     asmith@cc.com
```

```
Robert Lingot    02 34 56 78 90     rlingot@au.net
Anna Aymone      03 45 67 89 01     anne.aymone@fleur.fr
Nestor Burma     04 56 78 90 12     burma@fiat-lux.com
Jean Naymar      05 67 89 01 23     jean.naymar@monweb.com
</pre>
```

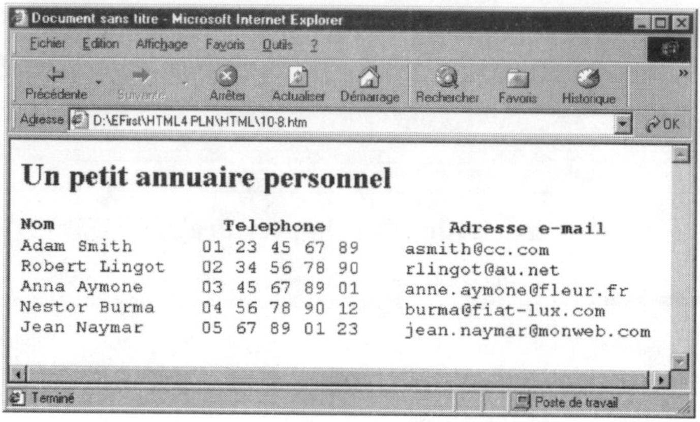

Figure 10.6 :
Exemple
d'utilisation
de la balise
<pre>.

<q> ... </q> Marquage d'une citation

Cette balise sert à marquer de petites citations empruntées à une autre source (publications ou autres). Des guillemets seront automatiquement insérés autour du texte ainsi marqué. Seul, actuellement, Netscape Navigator 6.1 reconnaît cette balise. Le fragment qui suit montre un exemple d'utilisation de cette balise.

```
<q cite="Pierre Dumayet">La peur de tomber, c'est
ce qui fait grimacer les pendus.</q>
```

<samp> ... </samp> Exemple de sortie

Cette balise affiche, généralement avec une police à pas fixe, des chaînes de caractères représentant les sorties d'un programme, d'un script ou de toute autre source de données. Dans la pratique, il est bien difficile de choisir entre <samp>, <kbd> et <code> qui, toutes trois, donnent lieu au même type d'affichage. L'insertion de balises <br> permet d'aboutir à une présentation plus aérée, comme on peut le voir sur le court fragment qui suit, dont la sortie est reproduite sur la copie d'écran de la Figure 10.7.

```
L'utilisation de la commande <code>SORT</code> affiche
la liste des adjectifs concernant les regions du globe
ayant des terres incultes, sous la forme suivante :
<br>
<samp>Afrique<br>
Antarctique<br>
Asie<br>
Australie<br>
Europe<br>
Inde<br>
Amerique du Nord<br>
Amerique du Sud<br>
</samp>
```

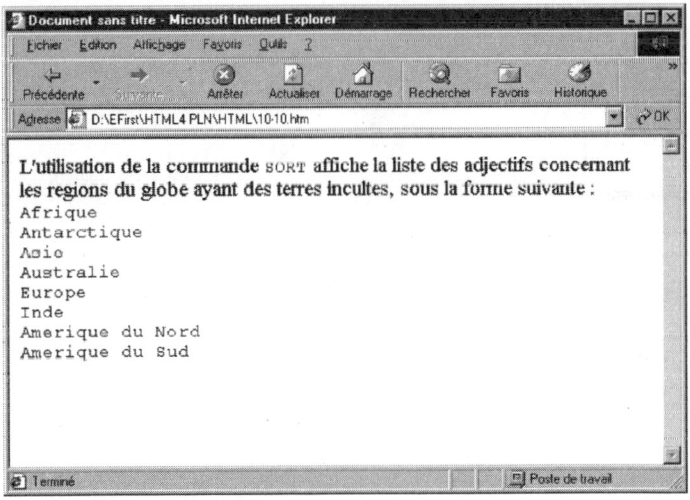

Figure 10.7 :
Exemple
d'utilisation
de la balise
<samp>.

<strong> ... </strong> Forte insistance

Cette balise sert à marquer une insistance plus forte que la balise
<em> ... </em> sur un fragment de texte. Alors que cette dernière
affiche généralement le texte concerné en italique, <strong> ...
</strong> l'affiche en gras. Le fragment ci-dessous montre un
exemple d'utilisation de ces deux balises. La Figure 10.8 met en
évidence la différence d'affichage qui en résulte.

```
<p>Pour lire cette page, <em>cliquez</em> sur ce bouton.
</p>
```

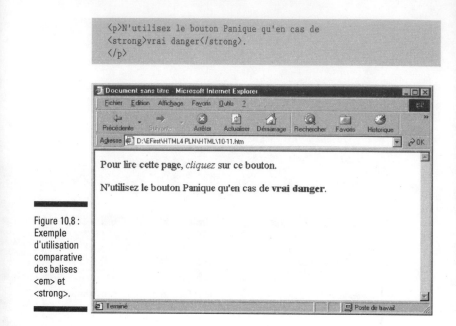

```
<p>N'utilisez le bouton Panique qu'en cas de
<strong>vrai danger</strong>.
</p>
```

Figure 10.8 :
Exemple
d'utilisation
comparative
des balises
<em> et
<strong>.

_{...} et ^{...} Texte en indice ou en exposant

Ces balises affichent le texte qu'elles renferment comme s'il s'agissait d'indice ou d'exposant, c'est-à-dire en dessous ou en dessus de la ligne de base normale du texte et avec une police de caractères plus petite. Le fragment ci-dessous, dont le résultat est reproduit sur la copie d'écran de la Figure 10.9, illustre l'utilisation de ces balises.

```
<p>Le symbole de l'eau est : H<sub>2</sub>O.</p>
<p>Forme generale de l'equation du second degre :
a.x<sup>2</sup> + b.x + c = 0</p>
```

<var> ... </var> Représentation d'une variable

Le texte placé à l'intérieur de cette balise est censé représenter des variables ou les arguments d'une commande destinée à un ordinateur. Il peut servir à signaler la présence d'un garde-place devant recevoir une valeur saisie par l'utilisateur. Il est généralement affiché en italique. Le fragment qui suit montre comment utiliser cette balise, en compagnie de la balise <code> ... </code>. Le résultat en est affiché sur la Figure 10.10.

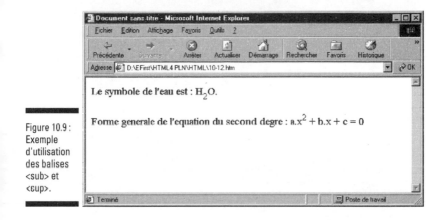

Figure 10.9 :
Exemple
d'utilisation
des balises
<sub> et
<sup>.

```
<h2>La balise var signifie "fourni par l'utilisateur"</h2>
Parfois, vous avez besoin d'indiquer que certains termes
sont generiques et qu'ils doivent être remplaces, au
moment de l'execution, par le texte approprie.
<p> La syntaxe de la commande MS-DOS <code>COPY</code>
est :<br>
 <code>COPY</code> <var>nom_de_fichier</var><br>
<p>Donc, si vous voulez copier le fichier <code>"TOTO.TXT"</code>,
vous devrez saisir la commande :<br>
 <code>COPY TOTO.TXT</code>
```

Figure 10.10 :
Exemple
d'utilisation
des balises
<code> et
<var>.

Listes en tous genres

L es listes constituent un excellent moyen de fournir des informations de façon concise et distincte. Dans ce chapitre, nous allons voir comment les coder et maximiser leur impact.

Les balises de liste

Dans cette section, nous allons vous expliquer l'utilisation de chacune des balises de liste par ordre alphabétique. La plupart d'entre elles reconnaissent quelques attribut mais leur usage est maintenant déconseillé par le W3C.

<dd> ... </dd> Définition de description

Cette balise fait partie de la trilogie <dd> ... </dd>, <dl> ... </dl>, <dt> ... </dt>. C'est l'un des éléments constitutifs de la balise <dl> ... </dl>, aussi appelée *liste de glossaire*, dont le but est de créer une liste de termes et de leurs définitions. Elle renferme la description du terme apparaissant dans l'autre élément : <dt> ... </dt>. Dans la balise <dd> ... </dd>, l'élément terminal est facultatif. Elle ne reconnaît aucun attribut. Nous en donnerons un exemple un peu plus loin, à la section traitant de la balise <dt> ... </dt>.

<dir> ... </dir> Liste de répertoires

L'usage de cette balise, qui n'a pratiquement jamais été utilisée, est déconseillé par le W3C. Inutile, donc, d'en dire davantage.

<dl> ... </dl> Liste de définitions

Cette balise encadre une suite de couples <dd> ... </dd>, <dt> ... </dt>, c'est-à-dire de termes suivis de leur définition et présentés avec une indentation. Nous en verrons un exemple dans la section suivante consacrée à <dt> ... </dt>.

<dt> ... </dt> Terme à définir

Cette balise contient le terme à définir. Le Listing 11.1 montre comment ces trois éléments doivent être associés pour créer une *liste de définitions*, aussi appelée *liste de glossaire*. La copie d'écran de la Figure 11.1 montre comment se présentent ces listes.

Listing 11.1 : Création d'une liste de définitions.

```
<h2>Quelques mots rares et anciens</h2>
<dl>
    <dt>Eauburon
    <dd>Nom commun de plusieurs champignons, notamment du
        lactaire poivre.
    <dt>Garcette
    <dd>Petit cordage fixe sur une voile et servant a prendre
        les ris.
    <dt>Gaudage
    <dd>Action de teindre une toile en jaune.
    <dt>Inaudulaire
    <dd>Se dit des tissus fibreux qui se forment par
        cicatrisation.
</dl>
```

<li> ... </li> Elément de liste

Cette balise est destinée à contenir un élément des listes ordonnées (<ol>) ou des listes à puces (<ul>). La présence de la balise terminale est facultative. Elle reconnaît quelques attributs dont l'emploi est maintenant déconseillé par le W3C.

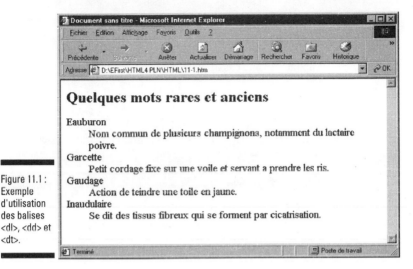

Figure 11.1 :
Exemple
d'utilisation
des balises
<dl>, <dd> et
<dt>.

type

Cet attribut sert à définir le type de puce ou la forme de la sérialisation qui précédera le terme de la liste. Sa forme générale est :

```
type="l'une des valeurs indiquées ci-dessous"
```

Pour les listes à puces, cet attribut peut prendre les valeurs suivantes :

- ✔ DISC définit un gros point noir.

- ✔ SQUARE définit un petit carré plein.

- ✔ CIRCLE définit un petit cercle creux.

Pour les listes numérotées, cet attribut peut prendre les valeurs suivantes :

- ✔ 1 définit une liste numérotée en chiffres arabes. Valeur initiale par défaut : 1.

- ✔ a définit une liste numérotée par des lettres bas de casse (minuscules). Valeur initiale par défaut : a.

- ✔ A définit une liste numérotée par des lettres capitales (majuscules). Valeur initiale par défaut : A.

> ✔ i définit une liste numérotée en chiffres romains écrits en bas de casse (minuscules). Valeur initiale par défaut : i.
>
> ✔ I définit une liste numérotée en chiffres romains écrits en capitales (majuscules). Valeur initiale par défaut : I.

value

Cet attribut sert à définir la valeur initiale de la sérialisation. Il n'a évidemment de sens que pour les listes ordonnées (<ol>). Sa forme générale est la suivante :

```
value="nombre"
```

<menu> ... </menu> Liste de menu

L'usage de cette balise, qui n'a pratiquement jamais été utilisée, est maintenant déconseillé par le W3C. Inutile, donc, de s'y attarder.

<ol> ... </ol> Liste ordonnée

Egalement appelée *liste numérotée*, cette liste est destinée à présenter une suite d'éléments où la sérialisation joue un rôle important. Par exemple, les actions à accomplir pour démonter un appareil, actions qui doivent être effectuées dans un ordre précis. Elle reconnaît deux attributs.

type

Cet attribut sert à définir le type de la numérotation qui précédera le terme de la liste. Sa forme générale est :

```
type="l'une des valeurs indiquées ci-dessous"
```

Il peut prendre les valeurs suivantes :

> ✔ 1 définit une liste numérotée en chiffres arabes. Valeur initiale par défaut : 1.
>
> ✔ a définit une liste numérotée par des lettres bas de casse (minuscules). Valeur initiale par défaut : a.
>
> ✔ A définit une liste numérotée par des lettres capitales (majuscules). Valeur initiale par défaut : A.

- ✔ i définit une liste numérotée en chiffres romains écrits en bas de casse (minuscules). Valeur initiale par défaut : i.

- ✔ I définit une liste numérotée en chiffres romains écrits en capitales (majuscules). Valeur initiale par défaut : I.

start

Il sert à définir la valeur de départ de la liste. Sa forme générale est :

```
start="nombre"
```

Le Listing 11.2 montre un exemple d'utilisation de la balise <ol> ...
</ol> et des deux attributs que nous venons de voir. Le résultat
obtenu est reproduit sur la Figure 11.2.

Listing 11.2 : Création d'une liste ordonnée.

```
<h2>Quelques mots rares et anciens</h2>
<h3>Liste ordonnee</h3>
<ol start="4">
  <li type="A">Eauburon</li>
  <li type="a">Garcette</li>
  <li type="I">Gaudage</li>
  <li type="1">Inaudulaire</li>
</ol>
```

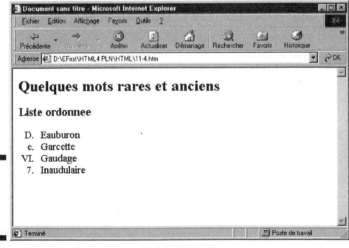

Figure 11.2 :
Exemple
d'utilisation
des balises
<ol> et <li>.

<ul> ... </ul> Liste non ordonnée

Egalement appelée *liste à puces*, cette liste est destinée à présenter une suite d'éléments où la sérialisation ne joue aucun rôle. Par exemple, une énumération d'objets hétéroclites. Elle a reconnu un attribut, `type`, qui indiquait la forme de la puce mais n'est actuellement plus reconnu par les plus récentes versions de Internet Explorer ou de Netscape Navigator. Aussi ne le citons-nous que pour mémoire.

Le Listing 11.3 montre un exemple d'utilisation de la balise `<ul>` ... `</ul>`. Le résultat obtenu est reproduit sur la Figure 11.3.

Listing 11.3 : Création d'une liste à puces.

```
<h2>Quelques mots rares et anciens</h2>
<h3>Liste a puce</h3>
<ul>
   <li>Eauburon</li>
   <li>Garcette</li>
   <li>Gaudage</li>
   <li>Inaudulaire</li>
</ul>
```

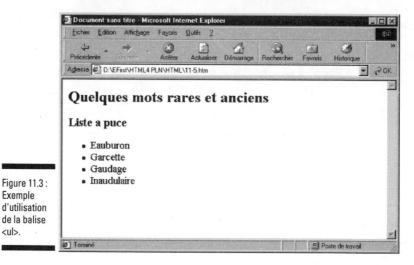

Figure 11.3 :
Exemple
d'utilisation
de la balise
<ul>.

Du bon emploi des structures de liste

Toutes les balises de liste obéissent à ces deux règles :

🖐 **N'OUBLIEZ PAS**

✔ Tous les types de liste doivent être encadrés par une balise initiale et se terminer par une balise finale.

✔ Chaque type de liste doit avoir un ou plusieurs éléments : `<dt>` et `<dd>` pour `<dl>` ; `li` pour les autres types.

Il n'est pas interdit de mélanger les types de listes ou d'en imbriquer plusieurs instances de même espèce, comme nous le verrons à la fin de ce chapitre.

Listes non ordonnées

Ce type de liste permet de mettre en valeur plusieurs courtes lignes d'informations. Le Listing 11.4 vous présente un exemple en situation illustré par la Figure 11.4.

Listing 11.4 : Incorporation d'une liste à puces dans du texte ordinaire.

```
<h2>HTML4 pour les Nuls</h2>
<p>Vous lisez actuellement <I>HTML4 pour les Nuls</I>,
un ouvrage grace auquel vous allez découvrir le monde
merveilleux du Web en devenant, vous aussi, auteur.
Ces pages vous apporteront leur aide dans ces trois
domaines importants :
<ul>
   <li>Retrouver des informations sur tout ce qui
         concerne HTML</li>
   <li>Avoir sous la main des exemples concrets pour
         chaque balise.</li>
   <li>Etre plus facile a consulter que la specification
         officielle du W3C.</li>
</ul>
</p>
```

Listes numérotées

Une liste numérotée permet d'énumérer une suite d'opérations devant être effectuées dans un ordre bien déterminé. Le Listing 11.5 vous en propose un exemple en situation dans le cadre d'une recette de cuisine et illustré par la Figure 11.5.

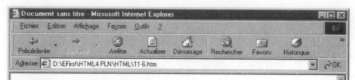

Figure 11.4 :
La présence
d'une liste à
puces dans
une page
peut la
rendre plus
lisible.

Listing 11.5 : L'authentique recette de l'œuf à la coque.

```
<h2>L'œuf a la coque</h2>
<p>Nous allons aujourd'hui vous montrer comment cuisiner
un plat que tout le monde est capable d'apprecier et dont
la realisation ne souleve que peu de problemes.
</p>
<ol>
  <li>Remplir d'eau froide une casserole de dimension
      moyenne.</li>
  <li>Poser cette casserole sur une plaque chauffante.</li>
  <li>Amener l'eau a ebullition.</li>
  <li>Y plonger avec precaution l'œuf.</li>
  <li>Le laisser ainsi pendant 3 minutes (un peu plus si
      vous souhaitez que le jaune soit plus
      consistant).</li>
  <li>Retirer l'œuf de la casserole avec une cuillere.</li>
  <li>Retirer la casserole de la plaque chauffante.</li>
  <li>Jeter l'eau chaude dans l'evier.</li>
  <li>Eteindre la plaque chauffante.</li>
  <li>Se preparer a deguster l'œuf (nous y reviendrons
      la semaine prochaine).</li>
</ol>
<hr>
```

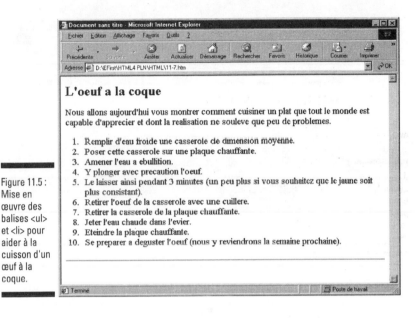

L'oeuf a la coque

Nous allons aujourd'hui vous montrer comment cuisiner un plat que tout le monde est capable d'apprecier et dont la realisation ne souleve que peu de problemes.

1. Remplir d'eau froide une casserole de dimension moyenne.
2. Poser cette casserole sur une plaque chauffante.
3. Amener l'eau a ebullition.
4. Y plonger avec precaution l'oeuf.
5. Le laisser ainsi pendant 3 minutes (un peu plus si vous souhaitez que le jaune soit plus consistant).
6. Retirer l'oeuf de la casserole avec une cuillere.
7. Retirer la casserole de la plaque chauffante.
8. Jeter l'eau chaude dans l'evier.
9. Eteindre la plaque chauffante.
10. Se preparer a deguster l'oeuf (nous y reviendrons la semaine prochaine).

Figure 11.5 : Mise en œuvre des balises <ul> et <li> pour aider à la cuisson d'un œuf à la coque.

Listes de définitions

C'est la seule qui utilise deux balises pour chacun des articles qu'elle contient. Vous en avez déjà rencontré un exemple sur le Listing 11.1, illustré par la Figure 11.1.

Listes imbriquées

Les listes HTML sont un moyen très pratique pour présenter des suites d'articles à différents niveaux hiérarchiques. Le Listing 11.6 vous présente un extrait du livre de Robin Cover, *SGML/XML Web Page*, qui présente une table des matières à plusieurs niveaux. La Figure 11.6 vous montre comment se présente le résultat.

Vous pourrez remarquer l'usage de la balise <a> pour créer des appels de liens conduisant directement aux pages où se trouvent les informations propres à chaque rubrique.

Lorsque l'on imbrique des listes, tous les éléments de la liste la plus intérieure doivent être inclus dans la liste de niveau supérieur, et ainsi

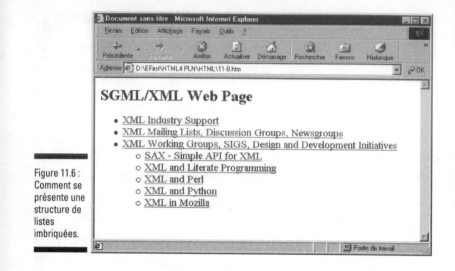

Figure 11.6 :
Comment se
présente une
structure de
listes
imbriquées.

de suite, jusqu'à la liste la plus extérieure. Il n'est pas interdit d'imbriquer des listes de différents types et le nombre de listes imbriquées n'est pas limité.

Listing 11.6 : Petit panorama des supports audio.

```
<h2>Les supports audio</h2>
Il existe trois grands types de supports audio qui,
eux-mêmes se subdivisent à leur tour en plusieurs catégories :

<ul>
  <li>Les disques
  <ul>
    <li>Microsillons 33 tr/min
    <li>Microsillons 45 tr/min
    <li>Anciens 78 tr/min
  </ul>
  <li>Cassettes
  <ul>
    <li>Cassettes audio
    <li>Cassettes vidéo
  </ul>
  <li>Compact-discs
  <ul>
    <li>Non réinscriptibles
```

```
    <li>Réinscriptibles
  </ul>
</ul>
```

Chapitre 12

Les entités
de caractères

Dans ce chapitre :

▶ Au-delà des frontières du jeu de caractères usuel.

▶ Comment afficher des caractères inhabituels.

*P*eut-être avez-vous remarqué, au Chapitre 8, la présence d'étranges notations : < et > ? Elles sont destinées à permettre au navigateur d'afficher les caractères < et > sans qu'il risque de croire que ce qui se trouve entre ces deux caractères puisse constituer une balise. En effet, ces deux *entités de caractères* correspondent respectivement au chevron ouvrant et au chevron fermant.

Une entité n'a rien à voir avec un extra-terrestre

Il y a plusieurs raisons qui justifient l'existence des entités de caractères :

✔ Permettre au navigateur de représenter certains caractères sans qu'il les prenne pour le marquage d'une balise.

✔ Permettre à un navigateur de représenter des caractères situés en dehors des 127 caractères de l'alphabet ASCII.

✔ Elargir la portabilité des documents HTML.

Nous allons maintenant pouvoir (enfin !) représenter non seulement nos caractères accentués nationaux mais aussi des caractères qui ne figurent pas sur notre clavier standard.

Qu'y a-t-il dans une entité de caractère ?

Trois caractères spéciaux sont couramment utilisés pour produire une entité de caractères. Pour être plus précis, on peut dire qu'il y en a deux qui sont plus courants que le troisième.

- **Le caractère "ET commercial" (&).** C'est ce caractère qui signale le début de l'entité. Un peu comme le "<" d'une balise.

- **Le caractère "point-virgule" (;).** C'est ce caractère qui signale la fin de l'entité. Un peu comme le ">" d'une balise. Entre ce caractère et le & initial, se place un groupe de quelques caractères décrivant très brièvement le caractère spécial à représenter. Par exemple, à représente notre "à" et ç notre "ç".

- **Le caractère "dièse" (#).** Il se place immédiatement après le "&" et il est suivi d'une valeur numérique décimale indiquant le rang du caractère dans l'alphabet ISO-Latin-1. Dans ce cas, on parle d'*entité numérique*. Certains caractères peuvent être représentés, au choix, par une entité "ordinaire" ou une entité numérique. Par exemple, le symbole du copyright (le "c" placé dans un petit cercle) peut être représenté soit par ©, soit par ©.

Ce qui se trouve placé entre le "&" et le ";" est sensible à la casse. Par exemple, É représente le "e" accent aigu majuscule (É), alors que é représente le "e" minuscule accent aigu (é).

L'alphabet ISO-Latin-1

L'alphabet utilisé par HTML est appelé *ISO-Latin-1*. Dans cette expression, "ISO" signifie qu'il s'agit d'un alphabet normalisé par l'ISO (*International Organization for Standardization*). Dans cette classification, il a pour numéro 8859. Si bien qu'on peut aussi l'appeler *ISO-8859-1*. "Latin" signifie qu'il s'agit d'un alphabet romain (celui que nous utilisons quotidiennement). Quant au "1", il indique tout simplement qu'il s'agit de la première version de ce standard.

Le Tableau 12.1 montre les représentations utilisées pour les 255 premiers caractères de cet alphabet, dans les deux systèmes d'entités.

Tableau 12.1 : Le jeu de caractères ISO-Latin-1.

Caractère	Entité	Entité numérique	Nom du caractère
A-Z (capitales)		A - Z	A ... Z
A-Z (bas de casse)		a - z	a ... z
0 - 9 (chiffres)		0 - 9	0 ... 9
			Espace "em"
			Espace "en"
		&#00; - &#08;	Inutilisés
		&#09;	Tabulation horizontale
		&#10;	Alinéa
		&#11; &#31;	Inutilisés
		&#32;	Espace
!		&#33;	Point d'exclamation
"	&quot;	&#34;	Guillemet
#		&#35;	Dièse
$		&#36;	Dollar
%		&#37;	Pour-cent
&	&amp;	&#38;	Et commercial
'		&#39;	Apostrophe
(		&#40;	Parenthèse gauche
)		&#41;	Parenthèse droite
*		&#42;	Astérisque
+		&#43;	Plus
,		&#44;	Virgule
-		&#45;	Tiret
.		&#46;	Point
/		&#47;	Barre de fraction (slash)
:		&#58;	Deux-points
;		&#59;	Point-virgule
<	&lt;	&#60;	Inférieur à
=		&#61;	Egal
>		&#62;	Supérieur à

Tableau 12.1 : Le jeu de caractères ISO-Latin-1 (suite).

Caractère	Entité	Entité numérique	Nom du caractère
?		&#63;	Point d'interrogation
@		&#64;	Arobase
[		&#91;	Crochet gauche
\		&#92;	Antislash
]		&#93;	Crochet droit
^		&#94;	Accent circonflexe
_		&#95;	Blanc souligné
`		&#96;	Accent grave
{		&#123;	Accolade gauche
|		|	Barre verticale
}		&#125;	Accolade droite
~		&#126;	Tilde
		&#127; - Ÿ	Inutilisés
			Espace insécable
¡	&iexcl;	&#161;	Point d'exclamation inversé
¢	&cent;	&#162;	Cent (monnaie américaine)
£	&pound;	&#163;	Livre sterling
¤	&curren;	&#164;	Symbole monétaire
¥	&yen;	&#165;	Yen
¦	&brvbar;	&#166;	Barre verticale brisée
§	&sect;	&#167;	Symbole de section
¨	&uml;	&#168;	Tréma
©	&copy;	&#169;	Copyright
ª	&ordf;	&#170;	Ordinal féminin
«	&laquo;	&#171;	Guillemet français ouvrant
¬	&not;	&#172;	Symbole de négation
—	&shy;	&#173;	Tiret de césure
®	&reg;	&#174;	Marque déposée
¯	&macr;	&#175;	Macron
°	&deg;	&#176;	Degré

Tableau 12.1 : Le jeu de caractères ISO-Latin-1 (suite).

Caractère	Entité	Entité numérique	Nom du caractère
±	&plusmn;	&#177;	Plus ou moins
²	&sup2;	&#178;	Exposant 2
³	&sup3;	&#179;	Exposant 3
´	&acute;	&#180;	Accent aigu
µ	&micro;	&#181;	Lettre grecque mu
§	&para;	&#182;	Paragraphe
•	&middot;	&#183;	Point central
¸	&cedil;	&#184;	Cédille
¹	&sup1;	&#185;	Exposant 1
º	&ordm;	&#186;	Ordinal masculin
»	&raquo:	&#187:	Guillemet français fermant
¼	&frac14;	&#188;	Fraction un quart
½	&frac12;	&#189;	Fraction un demi
¾	&frac34;	&#190;	Fraction trois quarts
¿	&iquest;	&#191;	Point d'interrogation inversé
À	&Agrave;	&#192;	A majuscule accent grave
Á	&Aacute;	&#193;	A majuscule accent aigu
Â	&Acirc;	&#194;	A majuscule accent circonflexe
A	&Atilde;	&#195;	A majuscule tilde
Ä	&Auml;	&#196;	A majuscule tréma
Å	&Aring;	&#197;	A majuscule anneau
Æ	&AElig;	&#198;	E dans l'A majuscule
Ç	&Ccedil;	&#199;	C majuscule cédille
È	&Egrave;	&#200;	E majuscule accent grave
É	&Eacute;	&#201;	E majuscule accent aigu
Ê	&Ecirc;	&#202;	E majuscule accent circonflexe
Ë	&Euml;	&#203;	E majuscule tréma
Ì	&Igrave;	&#204;	I majuscule accent grave
Í	&Iacute;	&#205;	I majuscule accent aigu
Î	&Icirc;	&#206;	I majuscule accent circonflexe

Tableau 12.1 : Le jeu de caractères ISO-Latin-1 (suite).

Caractère	Entité	Entité numérique	Nom du caractère
Ï	&Iuml;	&#207;	I majuscule tréma
Đ	&ETH;	&#208;	ETH majuscule (islandais)
Ñ	&Ntilde;	&#209;	N majuscule tilde
Ò	&Ograve;	&#210;	O majuscule accent grave
Ó	&Oacute;	&#211;	O majuscule accent aigu
Ô	&Ocirc;	&#212;	O majuscule accent circonflexe
Õ	&Otilde;	&#213;	O majuscule tilde
Ö	&Ouml;	&#214;	O majuscule tréma
x	&times;	&#215;	Symbole de la multiplication
Ø	&Oslash;	&#216;	O majuscule barré
Ù	&Ugrave;	&#217;	U majuscule accent grave
Ú	&Uacute;	&#218;	U majuscule accent aigu
Û	&Ucirc;	&#219;	U majuscule accent circonflexe
Ü	&Uuml;	&#220;	U majuscule tréma
Ý	&Yacute;	&#221;	Y majuscule accent aigu
Þ	&THORN;	&#222;	THORN majuscule (islandais)
ß	&szlig;	&#223;	Ligature (allemand)
à	&agrave;	&#224;	a minuscule accent grave
á	&aacute;	&#225;	a minuscule accent aigu
â	&acirc;	&#226;	a minuscule accent circonflexe
ã	&atilde;	&#227;	a minuscule tilde
ä	&auml;	&#228;	a minuscule tréma
å	&aring;	&#229;	a minuscule anneau
æ	&aelig;	&#230;	e dans l'a minuscule
ç	&ccedil;	&#231;	c minuscule cédille
è	&egrave;	&#232;	e minuscule accent grave
é	&eacute;	&#233;	e minuscule accent aigu
ê	&ecirc;	&#234;	e minuscule accent circonflexe
ë	&euml;	&#235;	e minuscule tréma
ì	&igrave;	&#236;	i minuscule accent grave

Tableau 12.1 : Le jeu de caractères ISO-Latin-1 (suite).

Caractère	Entité	Entité numérique	Nom du caractère
í	&iacute;	&#237;	i minuscule accent aigu
î	&icirc;	&#238;	i minuscule accent circonflexe
ï	&iuml;	&#239;	i minuscule tréma
ð	&eth;	&#240;	eth minuscule (islandais)
ñ	&ntilde;	&#241;	n minuscule tilde
ò	&ograve;	&#242;	o minuscule accent grave
ó	&oacute;	&#243;	o minuscule accent aigu
ô	&ocirc;	&#244;	o minuscule accent circonflexe
ù	&ucirc;	&#249;	u minuscule accent grave
ú	&uacute;	&#250;	u minuscule accent aigu
û	&ucirc;	&#251;	u minuscule accent circonflexe
ü	&uuml;	&#252;	u minuscule tréma
ý	&yacute;	&#253;	y minuscule accent aigu
þ	&thorn;	&#254;	thorn minuscule (islandais)
ÿ	&yuml;	&#255;	y minuscule tréma

Quant à l'euro, notre nouvelle monnaie, absent de ce tableau, il se représente par l'une des deux entités € ou €. Seules les versions récentes de Internet Explorer et de Netscape Navigator reconnaissent ces entités.

Quatrième partie

Mise en forme de votre projet

"Donnez-lui de l'air et ça ira mieux ! Il vient d'être exposé accidentellement à du code HTML brut envoyé inopinément par le serveur Web."

Dans cette partie...

Pour commencer, nous allons vous montrer comment exploiter ce que vous avez appris et comment mettre à profit des structures de tableau pour associer texte et images afin de créer des pages attractives. Puis, ce sera le tour des images réactives où nous vous montrerons comment métamorphoser une simple image en menu de navigation. Il ne vous restera plus qu'à découvrir les secrets des *frames* (cadres) pour tout savoir (ou presque) sur l'art et la manière de devenir un auteur Web accompli.

Chapitre 13

De la page Web au site Web

*V*otre simple page Web peut fort bien devenir une présence à part entière sur le Web. Malheureusement, plus vous ajoutez de pages et plus vos utilisateurs vont avoir du mal à s'y retrouver. Le plus dur est alors de rendre leur cheminement dans votre site aussi facile qu'il l'était dans votre page.

Dans ce chapitre, nous allons voir comment se promener dans un site complexe sans risquer de s'y perdre. Pour cela, nous visiterons certains sites Web, et nous verrons de quelle façon leurs auteurs s'y sont pris pour faciliter le parcours de leurs visiteurs.

Home, sweet home !

Votre page d'accueil n'est pas le seul point d'accès par lequel vos visiteurs peuvent entrer chez vous (enfin, dans votre site Web). C'est pourquoi vous devez avoir une perception claire de sa structure, quelle que soit sa complexité, afin de leur fournir toujours un moyen de les ramener dans le droit chemin.

Un peu d'organisation

Un examen attentif de votre site Web devrait vous permettre de dégager le style d'organisation qui est le sien : style hiérarchisé, style linéaire ou combinaison de ces deux styles comme le sont la plupart des sites Web. Ces différents styles sont illustrés par les Figures 13.1, 13.2 et 13.3.

Structure hiérarchisée

Une structure *hiérarchisée* (dite aussi *arborescente*) est la base de nombreux sites Web (voir la Figure 13.1). Elle est logique et semble familière à la plupart des utilisateurs d'ordinateur, car elle ressemble à la structure des répertoires d'un disque dur. C'est une structure fiable pour vos documents, tout spécialement si vous débutez dans votre brillante carrière de webmaster.

Figure 13.1 :
Une structure hiérarchisée ressemble à un arbre généalogique.

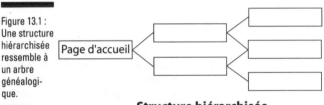

Structure hiérarchisée

Une table des matières placée dans votre page d'accueil représente le niveau le plus général de ce type de structure (sa *racine*). Elle devient de plus en plus détaillée au fur et à mesure qu'elle se ramifie. C'est le contenu qui dicte les divisions de l'arbre. Si vous essayez de parcourir un chemin en direction de sujets particuliers, vous n'aurez aucun mal à les atteindre en vous dirigeant vers les "feuilles". La structure hiérarchisée a un aspect familier qui rassure l'utilisateur moyen. Elle se présente un peu comme l'index d'un livre et peut aussi être utilisée comme table des matières.

Avec HTML, les liens hypertexte ajoutent de nouvelles possibilités à ce type de représentation hiérarchisée. Vous pouvez inclure des liens entre des branches apparemment sans rapport entre elles pour mieux informer vos utilisateurs. De cette façon, vos visiteurs pourront facilement aller de l'une à l'autre et apprécier dans le détail la façon d'uniformiser le *look and feel* des moyens de transport de l'entreprise.

Structure linéaire

Si elle apparaît aussi simple que celle d'un livre, elle est néanmoins rigide et on risque de s'y retrouver prisonnier comme le montre la Figure 13.2. Si vos informations présentent une suite d'étapes — à la façon d'un diaporama — ou suivent les étapes successives d'un processus du début à la fin, ce type de structure peut être un bon choix pour organiser vos documents. Une structure linéaire évite aux visiteurs de s'égarer en chemin. Vous pouvez y faire bon usage de liens comme "Page suivante" ou "Page précédente" ou encore "Page de début".

Figure 13.2 :
Une structure
linéaire va du
début à la fin,
étape par
étape.

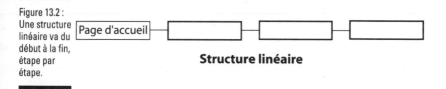

Structure linéaire

De la même façon qu'avec une structure hiérarchisée, un bon emploi des liens hypertexte peut aider vos visiteurs à s'y retrouver. N'oubliez pas de placer ce type de liens non seulement sur la page d'accueil mais aussi sur chaque page. Faute de quoi, les utilisateurs atterrissant au beau milieu de votre site ne pourraient même pas utiliser les icônes Page précédente et Page suivante de leur navigateur pour s'y déplacer.

L'horreur du lien défaillant

La création de liens hypertexte est la partie qui demande le plus de temps dans la réalisation d'un site Web. Si vous le faites avec soin, vos utilisateurs vous en seront reconnaissants.

Si vous disposez d'informations très étendues sur le sujet que vous traitez au moment où vous composez votre texte, ne mettez que quelques liens, mais choisissez-les avec précision, de façon qu'ils amènent le visiteur exactement sur le paragraphe concerné (*et qu'ils puissent ensuite le ramener à son point de départ !*).

N'oubliez pas de placer un peu partout des repères qui puissent remettre le visiteur égaré sur le bon chemin. Votre but est de permettre à vos visiteurs de gagner votre page d'accueil ou telle autre page que vous considérez comme essentielle (une table des matières, par exemple). Faute de quoi, ils pourraient penser qu'ils sont entrés chez vous par effraction.

La structure même du Web permet une grande liberté de mouvement (voir la Figure 13.3) et de conception dans l'élaboration d'un site. Paradoxalement, si la structure que vous avez adoptée convient bien à votre site, vous préserverez cette spontanéité et ferez un bon usage des propriétés du Web.

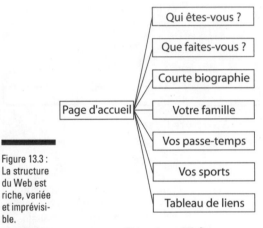

Figure 13.3 :
La structure
du Web est
riche, variée
et imprévisi-
ble.

Structure Web

Une autre bonne idée est de reproduire l'URL de chaque page dans son pied de page, en petits caractères. Ce sera un moyen de plus pour vos visiteurs d'y revenir, même s'ils n'enregistrent pas son adresse dans leurs signets pour peu qu'ils en aient fait une copie sur papier ou sur leur disque dur.

Commencez par faire une liste

Faites une liste des principales rubriques que vous souhaitez voir traitées dans votre site Web. Ces points — que vous considérez comme essentiels — deviendront très probablement des points d'aboutissement de liens à partir de votre page d'accueil. Pour un site personnel, cela pourrait être :

✔ Votre personnalité (qui vous êtes).

✔ Vos occupations professionnelles (ce que vous faites).

- ✔ Vos antécédents (une courte biographie).

- ✔ Votre famille.

- ✔ Vos passe-temps (violons d'Ingres, *hobbies*...).

- ✔ Les sports que vous pratiquez (ou que vous avez pratiqués).

- ✔ Vos aventures d'explorateur du Web (un tableau de liens).

Esquissez la structure

Dans notre situation, il faut privilégier une construction plutôt simple, avec le moins de dispersion possible. Une association de structures où prédomine une structure hiérarchisée pourvue de quelques liens semble préférable. Elle devrait vous paraître familière, surtout si vous avez déjà eu l'occasion de faire un peu de ménage dans la structure des répertoires de votre disque dur.

Une fois terminée cette esquisse, utilisez-la pour analyser votre page d'accueil. Vous verrez apparaître quelques liens potentiels qui n'étaient pas apparents au seul examen de votre code HTML. Par exemple, vous pouvez créer un lien entre "Qui vous êtes" et "Ce que vous faites", "Votre biographie" et les pages consacrées aux "Sports pratiqués". Et surtout, n'oubliez pas de créer un lien à partir de toutes ces pages secondaires vers votre page d'accueil.

Allez un peu plus loin

Une simple esquisse, c'est déjà bien, mais mieux vaut dessiner ce que les cinéastes appellent un *storyboard* et non plus simplement une *maquette*. En somme, une succession d'esquisses qui vont ressembler un peu à une BD.

Vous avez déjà vu des "activités" construites d'après cette méthode : films, shows télé, livres de bandes dessinées... Toutes ont subi ce traitement avant que leur auteur passe à la phase de réalisation. La création d'un ensemble de pages Web ressemble à celle d'une émission de télévision. Il y faut un "conducteur" venant relier chaque séquence. Avec le temps, vous aboutirez à un ensemble de "scènes" constituées par des pages Web, à la manière des feuilletons à épisodes des séries télé.

De la colle et quelques punaises

Pour préparer une maquette, vous avez besoin de feuilles de papier (une par page Web) sur lesquelles vont figurer clairement les liens que contiennent les pages. Certains auteurs Web aiment bien utiliser des crayons ou des marqueurs de couleurs différentes pour mettre en évidence les différents types de liens existants. Vous pouvez aussi esquisser l'organisation de chaque page sur un tableau mural. Tout dépend de la surface occupée au final.

Une bonne solution consiste à punaiser cette suite de pages (papier) sur un tableau en liège, ce qui vous évitera d'avoir à tout recommencer lorsque vous apporterez des changements à quelques pages (Web). Des fils de couleurs différentes peuvent alors matérialiser les liens. L'avantage de cette modélisation est qu'elle ne risque pas d'être perdue en cas de panne de courant comme ce serait le cas si vous l'établissiez directement sur votre ordinateur.

Quelques ancrages bien choisis

Il n'est pas interdit d'avoir des pages qui demandent trois ou quatre écrans pour être affichées en entier, pourvu que l'essentiel des informations qu'elles apportent se trouve sur le premier écran. Sous la torture, nous irions même jusqu'à admettre que ça peut être un bon moyen d'allonger votre page d'accueil, pour peu que vous y disposiez des ancrages aux endroits critiques et que vous ne cédiez pas à la tentation de la surcharger d'images.

Liens internes ou externes ?

Deux types de liens s'offrent à vous pour assurer la navigation dans vos pages :

- ✔ **Des liens *intra*documents.** Ils aboutissent à des endroits spécifiques d'une page. Ils sont définis à l'aide de l'attribut `name="etiquette"` de la balise `<a>`, et on les atteint par la même balise mais avec l'attribut `href="#etiquette"`.

- ✔ **Des liens *inter*documents.** Ils aboutissent à des endroits spécifiques d'une page quelconque. Ils sont définis à l'aide de l'attribut `href="URL"`.

Pour créer l'étiquette de renvoi, il suffit d'écrire quelque chose comme :

```
<a name="etiq"></a>
```

Aucun texte n'a besoin de figurer entre la balise initiale et la balise terminale (mettre un texte n'aurait aucune incidence, mais serait tout simplement inutile).

Pour créer un lien vers ce point particulier, vous n'avez plus qu'à écrire :

```
<a href="#etiq">vers machin-chose</a>
```

Notez que le caractère dièse (#) ne doit figurer que dans l'*appel du lien* (l'attribut `href`). Pas dans l'étiquette elle-même (l'attribut `name=`).

Encore des liens

Selon le type de lien qu'il rencontre, le navigateur va réagir différemment. Voici trois particularités qu'il est bon de connaître :

- Pour aller à un endroit particulier d'une autre page, vous pouvez associer les deux formes (*intra* et *inter*) que nous venons de voir et écrire, par exemple : `href="URL#etiq"`.

- Un lien intradocument amène le visiteur ailleurs qu'au sommet d'une page, mais rien ne vous empêche d'en utiliser un pour atterrir en haut d'une page, pour peu que vous ayez placé à cet endroit une étiquette appropriée avec l'attribut `name=`.

- Si vous placez un lien vers le bas d'un document, la plupart des navigateurs n'afficheront pas cette ligne en tête de leur fenêtre, tout simplement parce que, en général, ils s'efforcent de remplir leur fenêtre et qu'il ne reste plus assez de contenu entre le point d'atterrissage et le bas du document HTML.

Petit exemple de liens intradocuments

Nous allons nous citer nous-mêmes en montrant comment créer un tableau de liens intradocuments en tête d'une page. Les commandes HTML ci-dessous vont afficher ce que vous montre la copie d'écran de la Figure 13.4.

```
[    ]

Please visit the various links below to learn about:</p>
<ul>
```

```
    <li><a href="#CompanyHistory">Company History</a></li>
    <li><a href="#Svcs">LANWrights' Services</a></li>
    <li><a href="#Works">How LANWrights Works</a></li>
    <li><a href="#Fee">LANWrights' Fee Schedules</a></li>
  </ul>
```

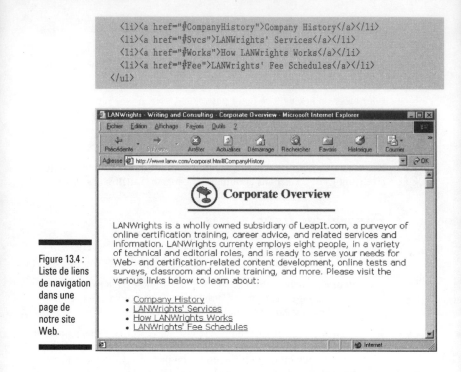

Figure 13.4 :
Liste de liens
de navigation
dans une
page de
notre site
Web.

Un risque possible

Si vous avez mal orthographié le nom de l'étiquette, que ce soit dans l'attribut `name=` ou dans l'attribut `href=`, l'affichage de la page concernée s'effectuera à partir de son début. Alors, vérifiez plutôt deux fois qu'une l'appariement de ces deux attributs dans vos balises de liens.

Tableau de liens

Vous pouvez mettre en œuvre des liens intradocuments en compagnie de l'attribut `name=` pour créer un tableau de liens pouvant servir de table des matières lorsqu'une page est assez longue. Cela vous demandera davantage de temps, mais fera meilleure impression à vos visiteurs (à condition, bien entendu, que vous n'oubliiez pas de proposer un lien de retour vers la table des matières après chacune des parties de la page référencée par cette table des matières). Le code ci-dessous illustre cette technique :

```
<!-- Mettre ici un ancrage pour les liens de retour -->
<p>
<a name="tdm">Table des mati&egrave;res</a>
</p>
<!-- Liens vers les sections 1, 2 et 3 -->
<a href="#sec1">Section 1.</a><br>
<a href="#sec2">Section 2.</a><br>
<a href="#sec3">Section 3.</a><br>
<!-- Ici se trouve l'ancrage nommé "sec1" -->
<a name="sec1"></a>
<h2>CFR Section 1.</h2>
<p>Le texte de la section 1 vient ici.</p>
<!-- Lien de retour vers la table des mati&egrave;res -->
<a href="#tdm">(TDM)</a>
<a name="sec2"></a>
<h2>CFR Section 2.</h2>
<p>Le texte de la section 2 vient ici.</p>
<a href="#tdm">(TDM)</a>
<a name="sec3"></a>
<h2>CFR Section 3.</h2>
<p>Le texte de la section 3 vient ici.</p>
<P>
<a href="#tdm">(TDM)</a>
```

Voir un lien vers la table des matières à la fin de chaque section (voir la Figure 13.5) peut sembler bizarre de prime abord, mais vos visiteurs s'y habitueront vite et apprécieront ce détail. Nous vous recommandons d'utiliser cette approche pour les documents longs ou complexes, ou lorsque vous créez un ensemble de documents apparentés. En revanche, évitez cette méthode pour les pages courtes dans lesquelles la présence d'une table des matières semblerait inopportune.

Si vous aimez que vos pages Web présentent un certain caractère d'uniformité, vous pouvez aller plus loin et utiliser cette technique pour relier n'importe quoi à n'importe quoi d'autre se trouvant dans un document HTML.

Sauts vers des pages lointaines

Il est très facile de faire de la téléportation avec une page Web. Un simple lien hypertexte pointant vers un site extérieur fera l'affaire. Son URL peut aussi comporter un ancrage.

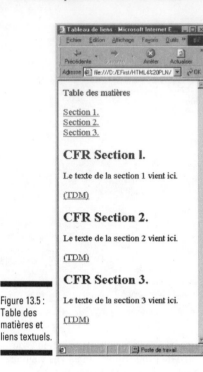

Figure 13.5 :
Table des
matières et
liens textuels.

Liens hypertexte vers des ressources extérieures

Une URL pointant vers un site extérieur doit être de type absolu, c'est-à-dire complète, comme on le voit dans l'exemple ci-dessous, une fois encore emprunté à notre site Web :

```
<p>
URL: <a href="http://www.lanw.com/html4dum/html4dum.htm">
http://www.lanw.com/html4dum/html4dum.htm</a>
<br>
Text - Copyright &copy; 1995-2001 Ed Tittel, &amp;
       Chelsea Valentine.
<br>
Dummies Desing & Art - Copyright &copy; 1995-2001
IDG Books Worldwide, Inc.
<br>
```

```
Web layout Copyright &copy; 1995-2001
<a href="http://www.lanw.com">LANWrights</a>
<br>
Revised - December 1, 2001
</p>
```

Les deux liens (que vous pouvez repérer par les attributs `href` des balises `<a>`) connectent la page *HTML 4 For Dummies* à elle-même et au site de LANWrights. Mais quel est l'intérêt de connecter une page à elle-même ? Ne sait-elle donc pas où elle est ?

Il y a de la méthode dans cette bizarrerie. Placer sa propre URL dans une page sous forme de lien joue un double rôle :

- ✔ Montrer à l'utilisateur l'URL complète et exacte de la page.

- ✔ Permettre un lien direct si un utilisateur sauvegarde le source de la page sur son disque dur.

Ainsi présenté, ce code paraît peut-être un peu confus, mais lorsque vous affichez la page correspondante et obtenez ce que montre la Figure 13.6, tout s'éclaire.

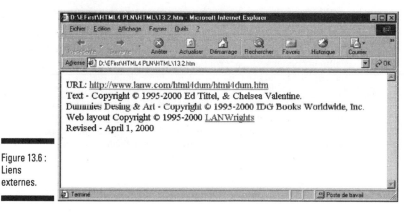

Figure 13.6 :
Liens
externes.

Pages de sauts

Cette expression désigne une page Web contenant essentiellement une liste d'URL pointant vers d'autres pages, en général des sites distants. Pour cela, l'emploi des listes est sans doute ce qu'il y a de mieux, car

c'est à la fois agréable à voir et facile à comprendre ainsi qu'à utiliser.
Les Américains appellent habituellement cela des *hot lists*.

Une telle liste doit être isolée du reste des pages et mérite qu'on lui
accorde un traitement particulier pour préserver son aspect visuel.
Des icônes et des filets de séparation conviendront très bien. Choisissez avec soin le texte d'appel de chaque lien. Tout en restant court, il
doit décrire exactement le rôle du lien et la destination à laquelle il
aboutit.

La balise <link>

La balise <link> contient des informations permettant de lier la page
dans laquelle elle se trouve à d'autres pages ou d'autres ressources.
Elle permet d'être certain que les navigateurs et autres logiciels du
Web sauront s'y retrouver. Sa place naturelle est dans la section d'en-
tête du document HTML : <head> ... </head>.

Analyse d'une page sophistiquée

La page d'accueil de LANWrights est la page d'accueil de notre propre
site ; elle vous montre ce que vous pouvez réaliser avec HTML 4 pour
peu que vous ayez un minimum d'imagination, sans même faire appel à
des frames. La Figure 13.7 vous la présente "telle qu'en elle-même la
réalité la change". Elle accroche l'œil sans en faire trop. Les informations qu'elle présente sont disposées agréablement et proposent aux
visiteurs plusieurs chemins possibles. Le texte jouxte de petites
images pour faciliter une navigation rapide. Les utilisateurs qui
souhaitent avoir une vision globale du site peuvent profiter du lien
Site Overview (survol du site), qu'on ne voit pas sur la copie
d'écran car il se trouve dans le coin inférieur droit de l'écran du
navigateur. Son URL est : http://www.lanw.com.

La longueur de la totalité de la page d'accueil est inférieure à deux
écrans. Elle fait bon usage de la couleur et est bien aérée par de larges
espaces vides. Les images se chargent rapidement parce que chacune
d'elles utilise peu de couleurs et que leur taille est modeste. Chaque
image de lien est doublée par un court texte placé à sa droite.

Le pied de page contient une notice de copyright, mais pas la propre
URL de la page. Le code HTML de cette page est conforme à la
spécification HTML 4. Les images contiennent toutes un attribut alt=
pour afficher éventuellement un texte de remplacement. L'emploi de la
balise <table> a permis une disposition harmonieuse des différentes
rubriques.

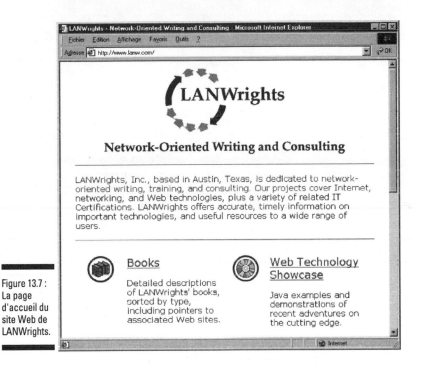

Figure 13.7 :
La page
d'accueil du
site Web de
LANWrights.

Chapitre 14

Du bon usage des tableaux

* *

Dans ce chapitre :

▶ Les balises de tableaux, une par une.
▶ Personnalisation des tableaux.

* *

*L*es tableaux constituent un moyen commode de mettre en page textes et images. A l'heure actuelle, tous les navigateurs modernes savent les interpréter car, depuis HTML 3.2, ils sont devenus un élément standard dans la réalisation des pages Web.

Les tableaux et leurs balises

Comme on peut placer à peu près n'importe quelle autre balise dans un tableau, les possibilités de `<table>` sont pratiquement illimitées. Une cellule peut contenir un tableau dont une cellule peut contenir un tableau dont une cellule... Nous ne vous recommandons pas d'aller jusqu'à de telles extrémités. Mais ne craignez pas d'essayer toute idée vous venant à l'esprit : son résultat pourrait dépasser vos espérances.

Les composantes de la balise <table>

La totalité des éléments d'un tableau doit être placée entre les balises `<table>` et `</table>`. Chaque ligne doit elle-même être placée dans un conteneur `<tr>` ... `</tr>`, et chaque cellule dans un conteneur `<td>` ... `</td>`[1].

---

[1] La spécification HTML 4.0 précise que les balises terminales ne sont pas indispensables. (N.D.T.)

Il existe des balises facultatives comme `<caption>` ...
`</caption>`, qui permet de placer un titre au-dessus ou au-dessous
d'un tableau, ou `<th>` ...`</th>` (*table header*, c'est-à-dire "en-tête de
tableau"), qui peut servir à placer un titre devant chaque ligne ou
chaque colonne. L'exemple suivant illustre l'emploi de ces balises :

```
<table>
<caption>Ici, c'est le titre</caption>
  <tr>
    <th>En-tête : ligne 1, colonne 1</th>
    <th>En-tête : ligne 1, colonne 2</th>
  </tr>
  <tr>
    <td>Cellule : ligne 2, colonne 1</td>
    <td>Cellule : ligne 2, colonne 2</td>
  </tr>
</table>
```

Le code ci-dessus vous donnera bien un tableau, mais il ne sera pas
très intéressant, comme vous pouvez le constater en examinant la
Figure 14.1.

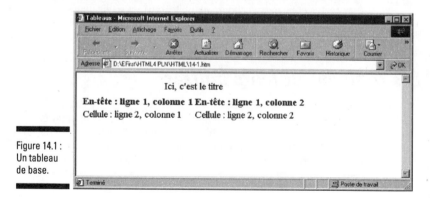

Figure 14.1 :
Un tableau
de base.

Dans un tableau, vous devez respecter la structure suivante :

- `<table>` ... `</table>`
- `<tr>` ... `</tr>`
- `<td>` ... `</td>`

Si vous avez compris les idées de base de la mise en page et de
l'imbrication des éléments utilisées dans cet exemple, vous avez déjà

maîtrisé l'essentiel de l'utilisation des tableaux. Vous pouvez constater qu'il est très facile d'utiliser ces balises pour composer un tableau type. Nous allons développer cette méthodologie dans les sections qui suivent.

<table> ... </table>

La balise `<table>` ... `</table>` contient toutes les balises concernant un même tableau. Ces balises seraient ignorées si elles n'étaient pas encastrées dans ce conteneur. Les attributs acceptés par `<table>` ... `</table>` sont : `align`, `border`, `cellpadding`, `cellspacing` et `width`. N'oubliez surtout pas la balise terminale `</table>`, car certains navigateurs, déjà anciens, seraient perdus si vous l'omettiez.

<tr> ... </tr>

La balise `<tr>` ... `</tr>` renferme toutes les informations concernant les cellules d'une même ligne, quel que soit leur nombre. Elle admet les attributs `align` et `valign` qui s'appliquent respectivement à l'alignement horizontal et à l'alignement vertical du contenu des cellules de la ligne. Curieusement, l'usage de l'attribut `align` dans la balise `<tr>` ... `</tr>` n'est pas déconseillé par le W3C. Alors, profitez-en !

<td> ... </td>

Chaque cellule d'un tableau doit être placée dans une balise `<td>` ... `</td>`, elle-même insérée à l'intérieur d'une balise `<tr>` ... `</tr>`.

- ✔ Vous n'êtes pas obligé d'avoir le même nombre de cellules dans chaque ligne. Les lignes trop courtes sont complétées sur leur droite par des cellules vides.

- ✔ Une cellule peut contenir n'importe quel élément HTML pouvant se trouver dans la section `<body>` d'un document HTML.

La balise `<td>` admet les attributs `abbr`, `align`, `axis`, `bgcolor`, `colspan`, `headers`, `rowspan`, `height`, `nowrap`, `valign` et `width`. Cependant, l'usage de `width`, `height` et `nowrap` est maintenant déconseillé par le W3C au profit des feuilles de style.

<th> ... </th>

La balise `<th>` ... `</th>` affiche ce qu'elle renferme en caractères gras en le centrant sur la largeur de la colonne. Cela mis à part, elle se comporte comme un conteneur `<td>`.

<caption> ... </caption>

Le mot *caption* signifie littéralement *légende*. Ce qui se trouve à l'intérieur de ce couple de balises permet d'ajouter un titre à un tableau. La balise `<caption>` ... `</caption>` peut se trouver n'importe où à l'intérieur de `<table>` ... `</table>`, mais en dehors de tout conteneur `<tr>` ... `</tr>`. Toutefois, sa place normale est immédiatement après la balise initiale `<table>`. En principe, il ne doit y avoir qu'une seule balise de ce type dans un tableau. Le contenu de cette balise est affiché centré sur la largeur du tableau en étant éventuellement replié sur la ou les lignes du dessous. Cette balise reconnaît l'attribut `align`.

Attributs de base d'un tableau

La bonne utilisation de ces attributs est un des moyens de parvenir à une mise en page intéressante. En voici un rapide aperçu.

align= [left | center | right] [CI]

Toutes les balises d'un tableau acceptent l'une des trois valeurs énumérées ci-dessus. Ces valeurs signifient respectivement à gauche, centré et à droite. La portée de cet attribut diffère selon son emplacement :

✔ Dans la balise `<caption>`, il ne concerne que le titre du tableau. En l'absence de cet attribut, ce titre est centré sur la largeur du tableau. Il peut aussi prendre les valeurs `top` (au-dessus) et `bottom` (au-dessous). Netscape Navigator version 6 ne reconnaît pas les valeurs `left`, `center` et `right` à cet emplacement.

✔ Dans la balise `<table>`, il porte sur toutes les cellules du tableau, à moins que des indications contraires n'apparaissent dans une balise interne du tableau.

✔ Dans une balise `<tr>`, il porte sur toutes les cellules de la ligne, à moins que des indications contraires n'apparaissent dans une des balises `<td>` de cette même ligne.

✔ Dans une balise `<td>`, il ne porte que sur le contenu de la cellule correspondante.

Le document HTML qui suit vous présente un exemple de l'interprétation de cet attribut. Notez la présence de l'attribut `border` dont le rôle sera expliqué dans la section suivante. La Figure 14.2 vous montre comment ce fragment est affiché par Internet Explorer.

```
<table border>
<caption align="right">C'est le titre du tableau</caption>
<tr align="center">
<th>Premi&egrave;re colonne</th>
<th>Deuxi&egrave;me colonne</th>
<th>Troisi&egrave;me colonne</th>
</tr>
<tr align="center">
<td>abracadabra</td>
<td align="right">&agrave; droite</td>
<td align="left">&agrave; gauche</td>
</tr>
</table>
```

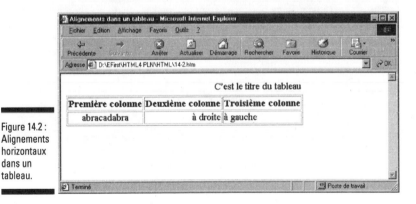

Figure 14.2 :
Alignements
horizontaux
dans un
tableau.

border="*nombre*" [CN]

Par défaut, un tableau n'a pas de bordure. En utilisant cet attribut, vous spécifiez l'épaisseur (en pixels) de la bordure d'un tableau. Si aucune valeur ne suit `border`, l'épaisseur par défaut de la bordure sera égale à 1 pixel. L'attribut `border` ne peut figurer que dans la balise `<table>`. Dans les exemples qui vont suivre, nous utiliserons systématiquement une bordure afin de montrer plus clairement les limites et alignements de chaque cellule.

La Figure 14.3 montre ce qui est affiché lorsqu'on remplace le simple attribut `border` de l'exemple précédent par `border="5"`.

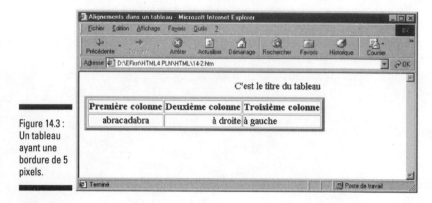

Figure 14.3 :
Un tableau ayant une bordure de 5 pixels.

Un tableau sans bordure est un moyen simple de présenter du texte et des images sagement alignés. Pour mieux contrôler le placement des objets dans un tableau, commencez toujours par le construire avec une bordure standard puis, lorsque vous aurez obtenu ce que vous voulez, supprimez `border`.

cellpadding="nombre" [CN]

Cet attribut détermine l'espace à ménager entre les bordures d'une cellule et son contenu. Sa valeur par défaut est égale à 1. En la fixant à 0, le contenu d'une cellule touche les bordures si elles existent. Une valeur différente peut contribuer à améliorer la mise en page d'un tableau, particulièrement si on utilise cet attribut conjointement à `cellspacing`.

Toujours avec le même exemple, nous allons modifier le contenu de la balise initiale `<table>`, en écrivant :

```
<table border cellpadding="15">
```

La Figure 14.4 montre qu'il y a maintenant davantage d'espace autour du contenu de chaque cellule, horizontalement et verticalement.

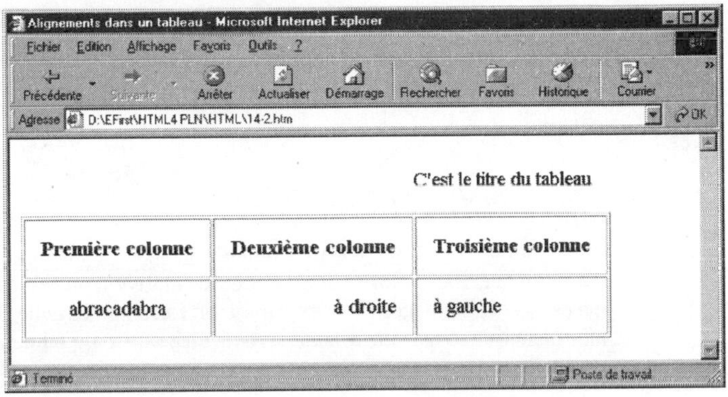

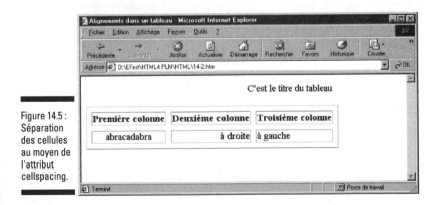

Figure 14.4 :
Aération du
contenu
d'une cellule
au moyen de
l'attribut
cellpadding.

cellspacing="nombre" [CN]

La valeur de cet attribut spécifie l'espace à ménager entre deux
cellules consécutives. Par défaut, sa valeur est égale à 2 pixels. Son
utilisation, conjointement à celle de cellpadding, peut contribuer à
améliorer l'impact visuel d'un tableau. Reprenant le même exemple,
nous allons modifier le contenu de la balise initiale <table>, en
écrivant :

```
<table border cellspacing="10">
```

La Figure 14.5 montre que, maintenant, il y a davantage d'espace entre
chaque cellule, horizontalement et verticalement.

Figure 14.5 :
Séparation
des cellules
au moyen de
l'attribut
cellspacing.

summary="texte" [CS]

Le mot *summary* signifie "résumé". Cet attribut a été conçu pour *résumer* le contenu du tableau mais il n'est implémenté par aucun navigateur actuel.

width="nombre" | "%" [CN]

Cet attribut, utilisé dans le conteneur `<table>` ... `</table>`, permet de spécifier la largeur absolue ou relative d'un tableau. Dans ce dernier cas, cette largeur est exprimée en fonction de celle de la zone d'affichage du navigateur. Utilisé avec `<th>` ou `<td>`, il fixe la largeur d'une cellule, en valeur absolue ou par rapport à la largeur du tableau.

Jusqu'ici, l'affichage de notre tableau s'est ajusté automatiquement dans la fenêtre du navigateur, de façon qu'il y ait suffisamment de place pour chaque colonne. Si nous spécifions qu'il doit occuper 90 % de la largeur de la fenêtre en écrivant :

```
<table border width="90%">
```

nous obtenons ce que montre la Figure 14.6. Nous pouvons aussi rétrécir la place qu'il occupe en écrivant 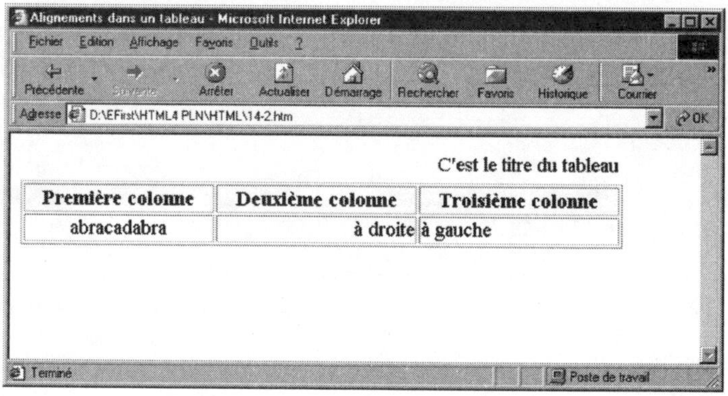 :

Figure 14.6 : Ici le tableau occupe 90 % de la largeur de la fenêtre du navigateur.

```
<table border width="200">
```

La Figure 14.7 montre ce que nous avons obtenu.

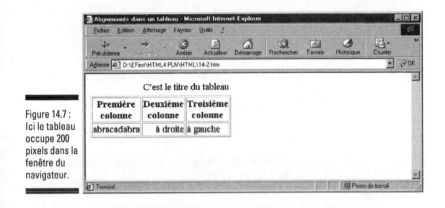

valign="top" | *"middle"* | *"bottom"* *[CI]*

Cet attribut peut être utilisé à l'intérieur d'une balise `<tr>`, `<th>` ou `<td>` pour contrôler la mise en place verticale du contenu d'une cellule respectivement dans le haut, au milieu ou dans le bas de la cellule. Sa valeur par défaut est `middle`.

nowrap *[CI]*

Utilisé à l'intérieur d'une balise `<td>` ou `<th>`, cet attribut empêche tout retour à la ligne du contenu d'une cellule, ce qui peut conduire à l'allonger exagérément. Son usage est déconseillé par le W3C.

colspan="nombre" *[CN]*

Utilisé à l'intérieur d'une balise `<td>` ou `<th>`, cet attribut spécifie sur combien de colonnes la cellule doit s'étendre. Pour bien voir son effet, modifions ainsi notre exemple, en supprimant une des cellules :

```
<table border="1">
<caption align="right">C'est le titre du tableau</caption>
<tr align="center">
<th>Premi&egrave;re colonne</th>
<th>Deuxi&egrave;me colonne</th>
<th>Troisi&egrave;me colonne</th>
</tr>
<tr align="center">
<td align="right">&agrave; droite</td>
```

```
<td align="left">&agrave; gauche</td>
</tr>
</table>
```

La Figure 14.8 montre que ce que nous obtenons n'est pas très joli.
Nous allons indiquer que la première cellule de la première ligne doit
occuper deux colonnes en écrivant :

```
<td align="right" colspan="2">&agrave; droite</td>
```

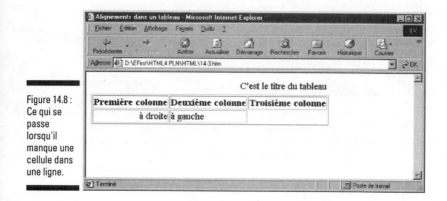

Figure 14.8 :
Ce qui se
passe
lorsqu'il
manque une
cellule dans
une ligne.

Comme on peut le voir sur la Figure 14.9, les frontières des deux
cellules de la première ligne sont maintenant harmonieusement
réparties.

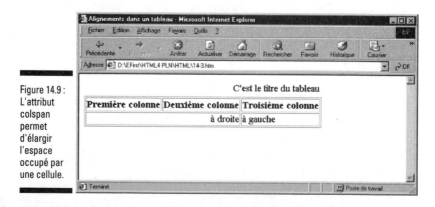

Figure 14.9 :
L'attribut
colspan
permet
d'élargir
l'espace
occupé par
une cellule.

rowspan="nombre" [CN]

Utilisé à l'intérieur d'une balise `<td>` ou `<th>`, cet attribut spécifie sur combien de lignes la cellule doit s'étendre. Nous allons modifier notre exemple en supprimant l'attribut `colspan` et en insérant un attribut `rowspan` dans la ligne des titres de colonnes :

```
<table border="1">
<caption align="right">C'est le titre du tableau</caption>
<tr align="center">
<th rowspan="2">Premi&egrave;re colonne</th>
<th>Deuxi&egrave;me colonne</th>
<th>Troisi&egrave;me colonne</th>
</tr>
<tr align="center">
<td align="right">&agrave; droite</td>
<td align="left">&agrave; gauche</td>
</tr>
</table>
```

Nous obtenons maintenant ce que montre la Figure 14.10.

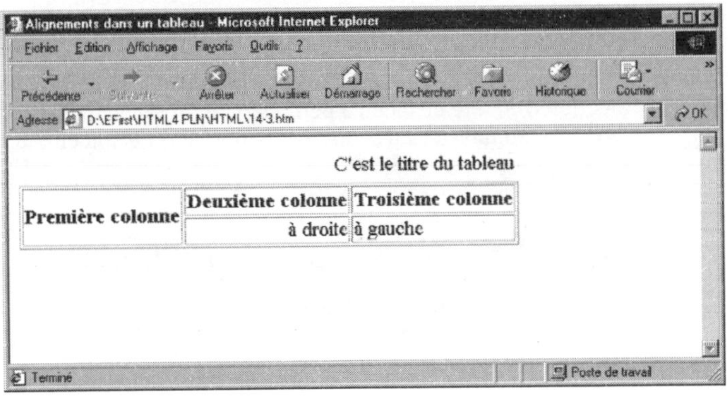

Figure 14.10 : L'attribut colspan allonge la hauteur d'une cellule au détriment de celle qui se trouvait au-dessous.

bgcolor="couleur" [CI]

Cet attribut permet de modifier la couleur de toutes les cellules d'un tableau, d'une seule ligne ou d'une seule cellule selon qu'il apparaît dans les balises `<table>`, `<tr>` ou `<td>` (ou `<th>`). Son usage dans la balise `<table>` est déconseillé par le W3C au profit des feuilles de style CSS. Exemple d'emploi :

```
<td bgcolor="red"> ... </td>
```

Récentes additions à la famille des tableaux

Ces adjonctions datent de l'apparition de HTML 4.0, mais ni Microsoft ni Netscape ne se sont réellement souciés de les implémenter dans leurs navigateurs. Nous allons néanmoins vous donner un rapide aperçu de l'usage auquel elles sont destinées. Sans pouvoir vous en présenter d'exemple convaincant, et pour cause !

La balise <tbody> ... </tbody>

Cette balise regroupe les lignes de tableau de façon à permettre un défilement horizontal du contenu du tableau sans modifier la position de l'en-tête et du pied du tableau. Elle doit contenir au minimum une rangée complète de cellules.

La balise <thead> ... </thead>

Cette balise permet de regrouper des lignes de tableau dans une section d'en-tête de façon à permettre un défilement horizontal du contenu du tableau sans modifier la position de son en-tête et de son pied.

La balise <tfoot> ... </tfoot>

Cette balise joue le même rôle que la balise <thead> ... </thead>, mais pour le pied du tableau.

La balise <colgroup> ... </colgroup>

La balise <colgroup> ... </colgroup> est censée créer un groupe explicite de colonnes. Le nombre de colonnes concernées est exprimé au moyen de l'attribut span (qui permet de spécifier une largeur uniforme pour un groupe de colonnes) ou de la balise <col>, que nous verrons dans la section suivante. Elle admet les deux attributs span et width.

La balise <col>

C'est une balise orpheline destinée à définir avec plus de précision la structure des colonnes. Elle ne sert pas à regrouper des colonnes, mais à spécifier la largeur de certaines d'entre elles.

A vous de jouer

Construire des tableaux à la main est un travail délicat. Voici quelques-uns des éléments à prendre en compte avant de vous lancer dans l'entreprise.

Déterminez la mise en page du tableau

Commencez par faire une esquisse de la façon dont doit se présenter votre tableau. Créez ensuite un petit tableau HTML avec seulement quelques lignes d'informations pour tester votre mise en page et voir si elle est conforme à ce que vous aviez prévu. Si vous utilisez des éléments qui s'étendent sur plusieurs lignes et/ou colonnes, vous aurez peut-être besoin d'opérer quelques ajustements pour que la mise en page soit correcte. Testez ensuite votre tableau avec plusieurs navigateurs pour voir si le résultat reste acceptable, voire identique dans le meilleur des cas.

Plusieurs lignes et plusieurs colonnes

Souvenez-vous que la construction d'un tableau s'effectue ligne par ligne. Si vous utilisez rowspan=3 dans une ligne définie par <tr>, vous devez tenir compte des deux lignes supplémentaires dans les <tr> suivants. On peut ainsi réaliser une présentation d'ensemble comme le montre la Figure 14.11 dans laquelle les premières cellules de chacune des trois lignes sont regroupées en une seule, de cette façon :

```
<table border>
   <tr><td rowspan=3>lettres</td><td>a</td></tr>
   <tr>                        <td>b</td></tr>
   <tr>                        <td>c</td></tr>
</table>
```

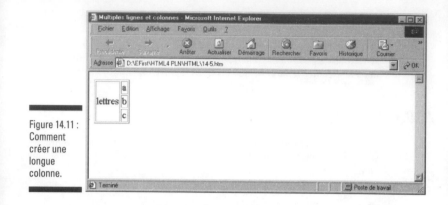

Figure 14.11 :
Comment
créer une
longue
colonne.

Utilisation conjointe de texte et images

L'utilisation d'un tableau est un moyen efficace de présenter du texte d'une façon agréable, avec une mise en page bien agencée. Ce sera encore mieux si vous y ajoutez des images bien choisies. Vous pouvez positionner une image avec précision à l'intérieur d'une cellule au moyen des astuces suivantes :

➤ Choisissez des images de taille et d'aspect voisins.

➤ Evaluez les dimensions exactes en pixels de vos images à l'aide de logiciels tels que LViewPro ou PaintShop Pro.

➤ Utilisez les balises et les attributs HTML pour assurer une mise en place correcte.

En dimensionnant les lignes ou les colonnes qui contiennent des images de façon que la plus grande de celles-ci y tienne à l'aise et en les centrant, vous pourrez parvenir à un tableau harmonieux.

Automatisation de la création des tableaux

Il existe des éditeurs HTML qui automatisent le processus de création des tableaux. D'un autre côté, les dernières versions d'Excel (logiciel de Microsoft) possèdent une option de sauvegarde sous forme de code HTML dans le menu Fichier.

Si nous vous avons présenté de façon aussi détaillée l'utilisation "à la main" des balises HTML, c'est parce que aucun des outils perfectionnés qui existent dans le commerce du logiciel ne peut parvenir à réaliser la mise en page exacte et précise dont vous rêvez de façon aussi minutieuse que vous pouvez le faire en manipulant directement les balises. Vous devrez souvent apporter des retouches à ce qui aura été généré par ces éditeurs perfectionnés.

Chapitre 15

Navigation à la carte

Dans ce chapitre :
- Présentation des images réactives.
- Réalisation d'une image réactive.

D ans ce chapitre, nous allons vous montrer comment traiter une image comme s'il s'agissait de l'assemblage de régions différentes dont chacune peut être sélectionnée au moyen d'un clic de souris pour appeler un lien vers telle ou telle page.

Qu'est-ce qu'une image réactive ?

Il s'agit d'une image divisée en territoires ou *zones* dites *sensibles*, soigneusement délimitées. Mais cette division n'apparaît pas comme une frontière artificielle. Elle exploite des séparations naturelles de l'image globale. La Figure 15.1 montre comment se présente une telle image dans laquelle on distingue sans effort six zones facilement repérables.

Figure 15.1 : Page d'accueil du serveur Web américain présentant HTML for Dummies.

Chacune des cinq divisions du bas est l'équivalent d'un bouton sur
lequel on cliquerait pour appeler telle ou telle page. Comme nous le
verrons, les frontières entre les zones d'une image revêtent des formes
géométriques généralement simples. Il est évident que les images
réactives ne peuvent être exploitées que par un navigateur graphique.

Réalisation d'une image réactive

Voici les trois étapes à parcourir pour réaliser une image réactive :

✔ **Créer une image utilisable.** Soit elle existe déjà, soit vous
pouvez la créer spécialement dans ce but.

✔ **Créer le fichier de cartographie.** Examinez attentivement votre
image pour y discerner des frontières naturelles. Décrivez
ensuite les différentes régions en indiquant leur forme et leurs
coordonnées en pixels. Ce découpage peut s'effectuer à la main
ou à l'aide d'utilitaires spécialisés.

L'image que nous avons choisie comme exemple (revoir la
Figure 15.1) peut être facilement décomposée en six rectangles :
un grand rectangle supérieur et cinq rectangles inférieurs
accolés, de chacun 100 pixels de large et 143 pixels de haut.
L'ordonnée du coin supérieur gauche de la rangée de boutons a
pour valeur 142 (à cause de la présence de la grande zone
rectangulaire située au-dessus). L'intérieur de chacun de ces
rectangles est assimilable à un gros bouton rectangulaire :

```
(0,142)---(99,142)---(199,142)---(299,142)---(399,142)---(499,142)
|          |          |           |           |           |
|  Bouton1 | Bouton 2 | Bouton 3  | Bouton 4  | Bouton 5  |
|          |          |           |           |           |
(0,285)---(99,285)---(199,285)---(299,285)---(399,285)---(499,285)
```

Pour déterminer les coordonnées de ces zones, vous pouvez
utiliser un logiciel de dessin tel que Paint Brush ou PaintShop
Pro. Lorsque vous promenez le pointeur de la souris sur l'image,
ses coordonnées s'affichent sur la ligne d'état, au bas de sa
fenêtre.

L'un des meilleurs outils permettant de créer une image réactive
est sans doute Mapedit de Tom Boutell qu'on peut télécharger à
partir de l'URL :

```
http://www.boutell.com/mapedit
```

✔ **Etablir la liaison entre les zones de l'image et les URL à atteindre.** Ici, il existe deux méthodes générales selon que la *carte de correspondance* qui fait la liaison entre le découpage de l'image et les URL de destination se trouve sur le serveur Web (méthode ancienne que nous passerons sous silence) ou chez le client — votre utilisateur — (méthode la plus récente).

Reconnaissance de formes

A l'intérieur d'une image, une région peut être définie selon trois formes géométriques simples :

✔ **Cercle :** On indique les coordonnées du centre du cercle et la valeur de son rayon, les deux étant exprimées en pixels.

✔ **Rectangle :** On indique les coordonnées de sa diagonale principale, c'est-à-dire du coin supérieur gauche et du coin inférieur droit.

✔ **Polygone :** On indique les coordonnées de chacun des sommets du polygone. Naturellement, les coordonnées du point final doivent être les mêmes que celles du point de départ, puisqu'il s'agit d'un polygone fermé.

Les images réactives côté client

La réalisation de ce type d'image réactive est des plus simples :

✔ Définir les zones sensibles de l'image.

✔ Insérer leurs coordonnées dans le document HTML.

Les formes utilisables pour les zones sensibles sont les mêmes que pour les images réactives côté serveur ; à savoir :

✔ **Cercle :** `<area shape="circle" coords="x,y,r" href="URL1">`

✔ **Rectangle :** `<area shape="rect" coords="x1,y1,x2,y2 href="URL2">`

✔ **Polygone :** `<area shape="poly" coords="x1,y1,x2,y2,..., x1,y1 href="URL3">`

✔ **Par défaut :** `<area shape="default" href="URL4">`

Ici apparaissent deux nouvelles balises : `<area>`, qui contient les définitions des zones sensibles, et `<map>` qui regroupe ces définitions. En voici un exemple :

```
<img src=«ht4memu.gif> usemap=«#h4dmap»>

...

<map name=»h4dmap»>
<area shape=«rect» coords=«0,142,98,285»
    href=«http://www.domain.com/html4dum/ftpstuff.htm»>
<area shape=«rect» coords=«99,142,198,285»
    href=«http://www.domain.com/html4dum/contents.htm»>
<area shape=«rect» coords=«199,142,298,285»
    href=«http://www.domain.com/html4dum/search4d.htm»>
<area shape=«rect» coords=«299,142,398,285»
    href=«http://www.domain.com/html4dum/contact.htm»>
<area shape=«rect» coords=«399,142,499,285»
    href=«http://www.domain.com/html4dum/whatsnew.htm»>
<area shape=«default»
    href=«http://www.domain.com/html4dum/contents.htm»>
</map>
```

La première ligne associe le fichier de cartographie à la description de la cartographie de l'image par l'intermédiaire de la valeur affectée à l'attribut `usemap` de la balise `<img>` qui pointe sur le nom donné au conteneur `<map>`. La seule contrainte à respecter pour ce dernier est de le placer dans la section `<body>` du document HTML.

Et pour ceux qui ne voient pas les images ?

Tous les utilisateurs ne sont pas à même de voir les images réactives, et il faut penser à ceux qui n'ont qu'un navigateur en mode texte (on nous assure qu'il y en aurait encore !). Pour venir à leur secours, il est bon de proposer les mêmes choix sous forme de texte, comme dans l'exemple ci-dessous illustré par la Figure 15.2 :

```
<a href="http://www.lanw.com/cgi-bin/html4dum.map">
<img border="0" align="top" src="graphics/ht4menum.gif"
    alt="Navigation Bar" ismap></a><p>
<img align="middle" width="130" height="0"
    src="graphics/space.gif" alt=" ">
<b>
<a href="ftpstuff.htm">FILES</a> &#32;&#124;
<a href="contents.htm">CONTENTS</a> &#32;&#124;
```

```
<a href="search4d.htm">SEARCH</a> &#32;&#124;
<a href="contact.htm">CONTACT</a> &#32;&#124;
<a href="whatsnew.htm">NEW</a>
<br>
<img align="middle" width="240" height="0"
    src="graphics/space.gif" alt=" ">
<a href="navigate.htm">HOW TO NAVIGATE</a>
</b>
<p>
<a href="html4du2.htm">Click here for a non imagemap version
</a>
</p>
```

Figure 15.2 :
Ce que
verrait un
utilisateur
ayant
désactivé le
chargement
des images.

Chapitre 16

Les cadres

*L*es cadres vous permettent de fractionner votre page en plusieurs zones indépendantes l'une de l'autre, et dont vous pouvez modifier le contenu sans toucher à celui des autres. Dans ce chapitre, nous allons vous apprendre les bases de leur utilisation.

Généralités sur les cadres

Une fenêtre de navigateur contient généralement un seul cadre qui, naturellement, ne peut afficher qu'une seule page Web à la fois. Pour pouvoir en afficher plusieurs, il faut recourir à une balise `<frameset>` qui subdivise la fenêtre en plusieurs cadres indépendants mais ayant des points communs et coopérant pour présenter différents documents d'un même site Web. Certaines de ces fenêtres peuvent même être figées alors que le contenu des autres est susceptible d'être modifié.

Certains navigateurs anciens (versions 3.x ou antérieures) risquent de ne pas reconnaître les cadres. De leur côté, les navigateurs ne fonctionnant qu'en mode texte ont du mal à bien représenter les cadres. Conséquence pratique, les surfeurs ainsi équipés ne verront pas votre présentation dans de bonnes conditions. A vous de choisir, selon l'audience que vous vous proposez d'intéresser.

Voici quelques-unes des utilisations habituelles des cadres :

- Une page Web ayant un logo fixe dans sa partie haute et dont la partie basse reçoit un contenu pouvant défiler.

- Une page avec un logo fixe dans la partie haute, une barre de navigation et une notice de copyright dans la partie basse, et une section médiane qui défile.

- Une page Web avec une table des matières dans un cadre vertical à gauche, la partie droite de l'écran recevant les différentes pages.

- Un cadre à gauche, contenant des icônes pointant vers différentes parties du site, chacune d'elles pouvant être affichée dans le reste de l'écran, le choix étant fait selon l'icône sur laquelle a cliqué l'utilisateur.

Les balises des cadres

Il existe deux nouvelles balises dont il faut avoir bien compris comment on les utilise.

Structure d'un document comportant des cadres

Une structure de cadres ressemble à un document ordinaire dans lequel on aurait remplacé la balise `<body>` ... `</body>` par la nouvelle balise `<frameset>` ... `</frameset>`. C'est à l'intérieur de cette balise que va être précisée l'organisation de vos cadres au moyen de balises `<frame>` ... `</frame>`. La page d'accueil se présente alors de la façon suivante :

```
<html>
<head>
  <title>Il y a toujours un titre</title>
</head>

<frameset>
  ...
  Ici plusieurs balises <frame> ... </frame>
  ...
</frameset>

</html>
```

<frameset> ... </frameset>

Comme nous venons de le dire, cette balise remplace la balise
habituelle <body> ... </body>. A l'intérieur, vous ne pouvez
trouver que d'autres balises <frameset> ... </frameset> ou des
balises <frame> ... </frame>. Mais, bien entendu, les commentaires HTML ne sont pas interdits.

Deux attributs permettent de préciser la façon dont la fenêtre du
navigateur sera divisée.

rows

Il indique une division horizontale de l'espace (fenêtre du navigateur
ou cadre de niveau plus élevé) dans lequel se trouve la balise
<frameset> ... </frameset> à laquelle il appartient. Sa forme
générale est la suivante :

```
rows = "n" | "%" | "*", ...
```

Ces valeurs précisent les dimensions de chaque découpage horizontal
(position et hauteur) et se répètent autant de fois, séparées par des
virgules, qu'il y a de bandes horizontales. Un exemple fera mieux
comprendre ce que nous voulons dire par là :

```
<frameset rows="100, *, 20%">
    ...
</frameset>
```

La somme de tous ces découpages est égale à la hauteur du frameset,
le navigateur faisant au besoin les ajustements nécessaires. Chacun
des paramètres de ce découpage représente la hauteur d'une des
tranches du cadre défini par le frameset :

- ✔ **n** est un nombre fixe de pixels (par exemple : 50 ou 250). Dans
  ce cas, la hauteur de la tranche sera indépendante de la hauteur
  de la fenêtre du navigateur.

- ✔ **%** est un pourcentage de la hauteur du cadre défini par le
  frameset (par exemple : 10 % ou 75 %). La hauteur de la tranche
  dépendra donc de la hauteur de la fenêtre du navigateur.

- ✔ ***** signifie "ce qui reste une fois effectués les autres découpages".
  La hauteur de la tranche dépendra donc des autres découpages.
  L'astérisque peut être précédé d'une constante qui joue ici le
  rôle d'un préfixe multiplicatif : 3*, * découpe l'espace restant

en deux parties. La première vaudra les trois quarts de l'espace résiduel et la seconde le quart.

La Figure 16.1 représente ce qu'on obtient avec l'une des deux structures suivantes qui effectuent le même découpage de la fenêtre du navigateur en deux bandes horizontales :

```
<frameset rows="20%, 80%">
...
</frameset>

    ou :

<frameset rows="20%, *">
...
</frameset>
```

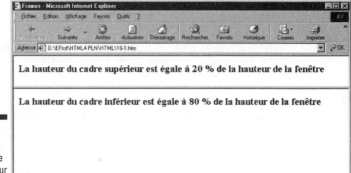

Figure 16.1 :
Découpage de la fenêtre du navigateur en deux bandes horizontales.

La Figure 16.2 représente ce qu'on obtient avec la structure suivante qui effectue le découpage de la fenêtre du navigateur en trois bandes horizontales :

```
<frameset rows="100, *, 20%"
...
</frameset>
```

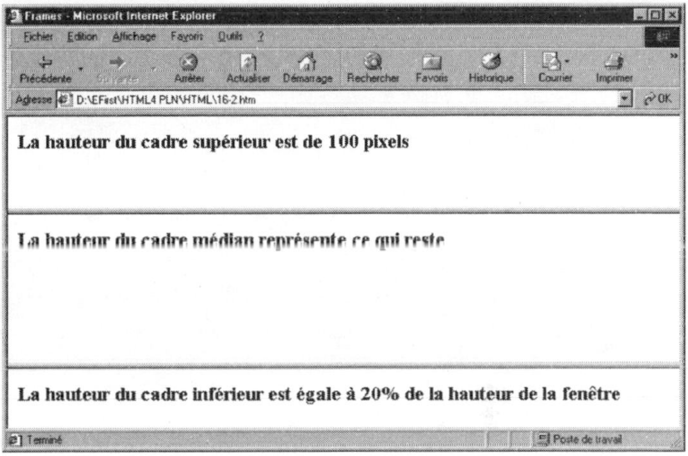

La hauteur du cadre supérieur est de 100 pixels

La hauteur du cadre médian représente ce qui reste

La hauteur du cadre inférieur est égale à 20% de la hauteur de la fenêtre

Figure 16.2 :
Découpage
de la fenêtre
du navigateur
en trois
bandes
horizontales.

cols

Il indique une division verticale de l'espace (fenêtre du navigateur ou cadre de niveau plus élevé) dans lequel se trouve la balise
<frameset> ... </frameset> à laquelle il appartient. A ce détail près, il se comporte exactement comme l'attribut rows.

La Figure 16.3 représente ce qu'on obtient avec la structure suivante qui effectue le découpage de la fenêtre du navigateur en deux bandes verticales :

```
<frameset cols="20%, *"
   ...
</frameset>
```

<frame>

Chacun des cadres du découpage est défini par une balise <frame>. Il s'agit d'une balise orpheline (il n'existe pas de balise terminale). Cette balise ne peut pas exister ailleurs qu'à l'intérieur d'une balise
<frameset> ... </frameset>. Les balises <frame> découpent le frameset dans l'ordre où elles apparaissent à l'intérieur de la balise
<frameset> ... </frameset>. En voici un exemple d'utilisation :

```
<frame src="mapage.htm" name="monCadre">
```

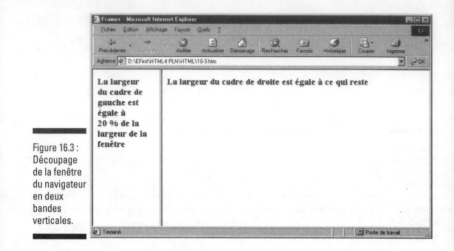

Figure 16.3 :
Découpage
de la fenêtre
du navigateur
en deux
bandes
verticales.

Voici les sept attributs qui définissent les caractéristiques d'une balise
<frame> :

src="*URL*"

URL représente le nom du fichier qui sera chargé initialement dans le
cadre : document HTML, image ou n'importe quelle autre forme d'URL
licite. Si ce paramètre est omis, le contenu du cadre sera vide.

name="*nom_de_fenêtre*"

C'est le nom du cadre. Sa présence est facultative mais s'il existe, il
doit être unique dans toute la structure. Il est principalement exploité
par l'attribut target d'un lien.

frameborder="*yes*" ou "*no*"

La valeur de cet attribut définit l'existence d'une bordure autour du
cadre. Par défaut, sa valeur est yes, c'est-à-dire que la frontière entre
deux cadres contigus sera apparente.

marginwidth="*valeur*"

La valeur de cet attribut spécifie la largeur de la marge latérale à
droite et à gauche entre deux cadres adjacents. Cette zone est vide.

Cet attribut est facultatif. Par défaut, il existe toujours une marge de quelques pixels entre deux cadres horizontaux adjacents.

marginheight="valeur"

La valeur de cet attribut spécifie la largeur de la marge verticale en haut et en bas entre deux cadres adjacents. Cette zone est vide. Cet attribut est facultatif. Par défaut, il existe toujours une marge de quelques pixels entre deux cadres verticaux adjacents.

noresize

Par défaut, l'utilisateur a la possibilité de modifier la dimension d'un cadre en déplaçant une de ses bordures avec le pointeur de la souris. En spécifiant noresize (sans valeur particulière), on interdit cette modification. Pour son interprétation correcte, il faut prendre en compte les points suivants :

- ✔ Si de deux cadres adjacents l'un possède cet attribut et l'autre pas, la frontière entre les deux est inamovible.

- ✔ Spécifier noresize empêche les utilisateurs de masquer le contenu d'un cadre (de la pub, par exemple).

- ✔ Nous ne conseillons pas d'utiliser l'attribut noresize pour les cadres contenant des informations utiles, car cela pourrait perturber la qualité de votre mise en page.

scrolling="yes" | "no" | "auto"

Cet attribut est facultatif. Par défaut, sa valeur est auto, c'est-à-dire que l'utilisateur peut faire défiler le contenu de la fenêtre en cas de besoin. Une barre de défilement sera alors automatiquement affichée. Si sa valeur est yes, une barre de défilement sera systématiquement affichée, qu'elle soit utile ou non. Enfin, si sa valeur est no, aucune barre de défilement ne sera affichée, ce qui peut empêcher l'utilisateur d'afficher la totalité du contenu d'un cadre.

<noframes> ... </noframes>

Cette balise permet l'affichage d'un message à l'intention des utilisateurs dont le navigateur ne reconnaît pas les cadres. Elle accepte toutes les balises HTML et, en particulier, la balise <body> ... </body>. Son contenu sera ignoré par les navigateurs qui reconnaissent les cadres.

Petit exemple

Le court fragment ci-dessous se propose de vous présenter les balises et quelques-uns des attributs que nous venons de voir, rassemblés dans un document HTML :

```
<html>
<head>
<title>frames</title>
</head>

<frameset rows="20%, *">
    <frame src="16-4a.htm" marginheight="10" name="fenetre_1">
    <frame src="16-4b.htm" marginheight="20" name="fenetre_2">

    <noframes>
    <body>
      D&eacute;sol&eacute;, cher visiteur mais votre
      navigateur ne reconnaissant pas les cadres, il
      n'est pas possible d'afficher le contenu de ce
      site Web.
    </body>
    </noframes>

</frameset>

</html>
```

L'écran est ici divisé en deux bandes horizontales. La première occupe 20 % de la hauteur de la fenêtre du navigateur ; la seconde, ce qui reste. Comme on le voit, trois documents HTML sont nécessaires pour que cette présentation soit complète : celui qui contient les commandes ci-dessus et les deux (respectivement 16-4a.htm et 16-4b.htm) dont le contenu vient garnir les deux cadres.

Le choix du cadre

Lorsqu'on a créé une structure de cadres, il faut pouvoir choisir celui qui recevra une nouvelle page lorsque l'utilisateur clique sur un appel de lien. Par exemple, si le cadre de gauche contient un menu de liens, c'est dans la partie droite qu'il faudra que les nouvelles pages se succèdent. Ce cas est l'un des plus fréquents que l'on rencontre. Il est illustré par la Figure 16.4.

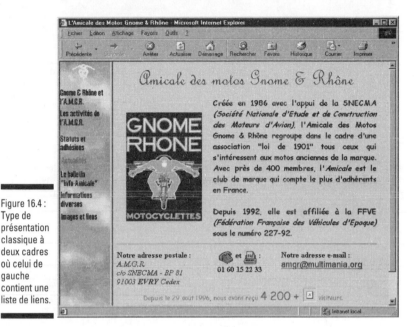

Figure 16.4 :
Type de
présentation
classique à
deux cadres
où celui de
gauche
contient une
liste de liens.

Par défaut, lorsqu'on clique sur un appel de lien, la page appelée est chargée à l'endroit d'où provient l'appel et remplace l'ancien contenu. Sauf si on fait appel à l'attribut target dans la balise <a>.

Nous avons vu plus haut qu'il était possible de donner un nom aux cadres dans la balise <frame> qui les crée. C'est ce nom qui va être utilisé comme valeur pour l'attribut target (en anglais : *cible*) dans la désignation du cadre de destination. Voici un exemple de ce type de lien :

```
<a href="mapage.htm" target="presenta">
    Mon village de vacances
</a>
```

Cette page sera chargée dans le cadre ainsi décrit :

```
<frame name="presenta" ... >
```

Les noms de fenêtres doivent commencer par une lettre, à l'exception des noms génériques prédéfinis dont l'initiale est un blanc souligné (_) :

✔ target="_self" C'est la fenêtre même qui contient l'appel de lien (self a le sens de *auto*). Tout se passe alors comme si on n'avait spécifié aucun attribut target.

✔ target="_blank" Le document appelé sera chargé dans une nouvelle fenêtre spécialement créée pour l'occasion.

✔ target="_parent" Le document appelé sera chargé dans la fenêtre mère du document, c'est-à-dire celle de niveau immédiatement supérieur. En son absence, tout se passera comme si on avait spécifié _self.

✔ target="_top" Le document appelé sera chargé dans la fenêtre de plus haut niveau de la structure. Si le point d'appel se trouve dans cette fenêtre, tout se passera comme si on avait spécifié _self.

Une fenêtre à l'intérieur d'une page

Il est possible de créer une fenêtre à l'intérieur d'une page au moyen d'une balise iframe.

L'extrait ci-dessous montre comment utiliser la balise ⟨iframe⟩ ... ⟨/iframe⟩ et la Figure 16.5 comment Internet Explorer affiche la page.

```
Jean de La Fontaine na&icirc;t, sous le r&egrave;gne de
Louis XIII, le 8 juillet 1621, &agrave; Ch&acirc;teau-

   [...]

<br>

<iframe src="vide.htm" name="unefable" width="350"
      height="250" align="left">
<h2>Ce navigateur ne reconna&icirc;t pas la balise
&lt;iframe&gt;</h2>
</iframe>

Sa nonchalance pla&icirc;t aux dames. En 1652, il
ach&egrave;te la charge de ma&icirc;tre des Eaux et For&ecirc;ts
dans sa ville natale.

   [...]

<hr>
Dans cette fen&ecirc;tre, vous pouvez charger une fable de
```

```
La Fontaine choisie dans cette liste ;:
<ul>
<li><a href="cifour.htm" target="unefable">
     La cigale et la fourmi</A></li>
<li><a href="cornard.htm" target="unefable">
     Le corbeau et le renard</A></li>
<li><a href="liegre.htm" target="unefable">
     Le li&egrave;vre et les grenouilles</A></li>
<li><a href="morbuc.htm" target="unefable">
     La mort et le b&ucirc;cheron</A></li>
<li><a href="licom.htm" target="unefable">
     La lice et sa compagne</A></li>
</ul>
```

Figure 16.5 :
Exemple
d'utilisation
de la balise
<iframe>.

Exemple d'utilisation des cadres

Dans l'exemple qui va suivre, regardez de près le rôle joué par chacun des documents HTML nécessaires à la réalisation d'une structure de cadres.

Exemple de découpage à trois bandes

Dans cet exemple, nous avons choisi de découper la fenêtre du navigateur en trois bandes horizontales :

- ✔ Celle du haut aura une hauteur de 150 pixels et tout défilement y sera interdit.

- ✔ Celle du bas aura une hauteur de 100 pixels et tout défilement y sera interdit. En outre, l'utilisateur ne pourra pas en modifier la hauteur.

- ✔ Entre les deux viendra se loger une troisième bande, qui utilisera toute la hauteur restante et dont l'utilisateur pourra faire défiler le contenu.

Pour cela, quatre fichiers sont nécessaires, dont le nom a été choisi pour illustrer la fonction :

```
ACCUEIL.HTM

<html>
<head>
<title>Exemple &agrave; trois bandes</title>
</head>

<frameset rows="150, *, 100">
<frame src="haut.htm" name="cadre_haut"* scrolling="no">
<frame src="milieu.htm" name="cadre_milieu" scrolling="yes">
<frame src="bas.htm" name="cadre_bas" scrolling="no"
       noresize>
</frameset>
</html>
```

```
HAUT.HTM

<html>
<head>
<title>Cadre du haut</title>
</head>
<body>
<center>
<h2>Texte du cadre sup&eacute;rieur</h2>
</center> >
Le texte que vous &ecirc;tes en train de lire se trouve
dans le fichier haut.htm. Il est appel&eacute; par la
ligne suivante dans le document HTML qui d&eacute;crit
```

```
le d&eacute;coupage ::
<br>
&lt;frame src="haut.htm" name="cadre_haut" scrolling="no"
&gt;
</body>
</html>
```

```
MILIEU.HTM
```

```
<html>

<head>

<title>Cadre du milieu</title>

</head>

<body>

<center>
<h2>Texte du cadre du milieu</h2>
</center>
<p>
Le texte que vous &ecirc;tes en train de lire ici se trouve
dans un fichier appel&eacute; par la ligne suivante
dans le document HTML qui d&eacute;crit le
d&eacute;coupage ::
<br>
&lt;frame src="milieu.htm" name="cadre_milieu"
scrolling="no"&gt;
</body>
</html>
```

```
BAS.HTM
```

```
<html>
<head>
<title>Texte du cadre du bas</title>
</head>
<body>
<center>
<h2>Texte du cadre du bas</h2>
</center>
<p>
Le texte que vous &ecirc;tes en train de lire ici se
trouve dans un fichier appel&eacute; par la ligne suivante
dans le document HTML qui d&eacute;crit
le d&eacute;coupage ::
```

```
<br>
&lt;frame src="bas.htm" name="cadre_bas" noresize&gt;
</p>
</body>
</html>
```

Sauvegardez chacun de ces fichiers sous le nom indiqué, et chargez
accueil.htm dans votre navigateur. La Figure 16.6 montre comment
va s'afficher cette présentation à trois bandes.

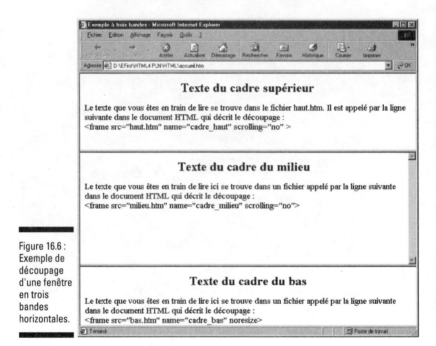

Figure 16.6 :
Exemple de
découpage
d'une fenêtre
en trois
bandes
horizontales.

Plus loin avec HTML

"Il faudrait trouver un moyen plus élégant d'inviter l'utilisateur à donner son numéro de carte de crédit."

Dans ce chapitre...

*L*a cinquième partie est un endroit où nous vous conseillons de ne pas entrer à la légère. C'est là, en effet, que vous allez découvrir les formulaires, les feuilles de style et le dialogue avec l'utilisateur. C'est là aussi que vous allez savoir ce que l'avenir vous réserve : XHTML, ses arcanes et ses merveilles (ou du moins celles qu'il promet). Vous êtes prêt ? Alors bouclez votre ceinture et en avant !

Chapitre 17

Les formulaires, les scripts, le dialogue et le reste

....

Dans ce chapitre :

▶ Comment utiliser au mieux les formulaires.

▶ Les limites des formulaires.

▶ Que trouve-t-on dans un formulaire ?

▶ Réalisation pratique d'un formulaire.

▶ Prenez tout de suite de bonnes habitudes.

▶ CGI et ses mystères.

▶ Comment tricher avec CGI.

....

A vec les formulaires, le dialogue s'établit : l'utilisateur va (enfin) pouvoir se faire entendre du serveur.

Les multiples usages des formulaires

Jusqu'ici, le serveur est apparu comme un diffuseur d'informations incapable de recueillir quoi que ce soit de son utilisateur. Les formulaires vont permettre un véritable retournement de situation et le client va pouvoir "parler" à son serveur.

Un Web vivant grâce aux formulaires

Dans ce chapitre, nous allons vous montrer comment procéder pour poser les bonnes questions à vos visiteurs, de façon à pouvoir connaître leurs réactions devant vos pages.

Ce sont les mêmes balises que vous utilisez pour recueillir les opinions de vos visiteurs qui vont vous servir à réaliser une boutique en ligne ou toute autre forme de service équivalent. Mais les balises ne sont pas seules à faire tout le travail. Encore faut-il pouvoir traiter les informations que vos visiteurs vont vous envoyer. Tout ce mécanisme de traitement des informations reçues est en dehors de la portée de ce livre. De toute façon, avant d'être en mesure de traiter les informations que vous recevrez, vous devez pouvoir les obtenir, et c'est précisément cela que nous allons vous montrer.

Les limites des formulaires

Avant de vous lancer à corps perdu dans la création de formulaires, vous devez savoir quelles sont exactement leurs réelles possibilités et leurs limitations.

Gare au navigateur !

Ce n'est guère qu'à partir de leurs versions 3.x que les navigateurs sont devenus réellement capables de manipuler correctement les formulaires. Heureusement, dans leurs versions les plus récentes, ils ne rencontrent plus de problèmes dans l'interprétation des fonctionnalités les plus anciennes et les plus couramment utilisées des formulaires.

Et du côté des serveurs ?

Le Web étant un environnement client/serveur, ce n'est pas parce que les navigateurs de vos visiteurs reconnaîtront bien les formulaires que vous serez tiré d'affaire. Encore faudra-t-il que le serveur que vous utilisez permette de traiter les informations qui vous seront envoyées. Autrement dit s'il dispose des programmes de réception et de traitement nécessaires. Pour cela, il existe plusieurs méthodes. Les plus récentes font appel à des langages comme Perl et PHP dont la description sort du cadre de cet ouvrage.

Qu'y a-t-il dans un formulaire ?

L'écriture d'un formulaire demande la connaissance de quelques balises nouvelles que nous allons maintenant étudier. Elles vont servir à créer à l'intérieur de votre page Web différents moyens de communication, tels que des boîtes de saisie, des boutons radio et des cases à cocher, grâce auxquels l'utilisateur pourra indiquer des choix, des préférences ou même saisir du texte sous forme libre. Voici comment fonctionne le mécanisme des échanges :

1. Dans une page Web, vous insérez un formulaire demandant à votre utilisateur de vous communiquer certaines informations en remplissant les cases du formulaire que vous lui proposez.

2. Une fois le questionnaire renseigné, il devra envoyer ces informations au serveur. Pour cela, la méthode la plus généralement usitée consiste à cliquer sur un bouton SUBMIT (dont le libellé peut être différent). Cet envoi sera adressé à un programme particulier dont le nom et le chemin d'accès sont indiqués dans l'attribut action de la balise initiale du formulaire.

3. C'est ce programme qui recevra les informations et devra les décoder puis les traiter.

4. Ce traitement peut comporter beaucoup d'options. Dans le plus simple des cas, les données reçues seront simplement archivées sur un disque dur. Dans d'autres cas, une réponse devra être élaborée à partir des information reçues. Généralement, on devra aussi envoyer un accusé de réception à l'utilisateur, ce qui implique l'élaboration au vol d'une nouvelle page HTML qui devra lui être automatiquement envoyée.

5. Ce processus de dialogue peut se poursuivre. Si, par exemple, les renseignements fournis par l'utilisateur n'ont pas été validés par le programme de traitement, ce dernier devra le signaler et demander à l'utilisateur qu'il lui renvoie un ou plusieurs éléments.

Qui dit formulaire dit dialogue

C'est l'attribut action de la balise <form> ... </form> qui spécifie l'URL du programme de traitement. Dans cette même balise, l'attribut method décrit la façon dont les informations saisies dans le formulaire seront acheminées jusqu'à ce script.

La balise <form> ... </form>

Tout ce qui concerne un formulaire doit être placé dans un conteneur <form>...</form> qui renferme en outre des attributs spécifiant où et comment envoyer les informations saisies par l'utilisateur. Voici quelles sont les principales balises qu'on peut rencontrer à l'intérieur de ce conteneur :

- ✔ `<input>`, qui indique la façon dont l'utilisateur fournira ses informations. Cette balise a de nombreux attributs.

- ✔ `<button>` ... `</button>`, qui permet de créer des contrôles. Elle est généralement utilisée pour ajouter des images de boutons accompagnées d'un texte de remplacement.

- ✔ `<textarea>`...`</textarea>`, qui signale la présence d'une zone d'entrée de texte sous forme libre.

- ✔ `<select>`...`</select>`, qui indique l'existence d'un groupe de choix possibles parmi lesquels l'utilisateur devra faire une sélection.

- ✔ `<submit>` et `<reset>`, qui sont deux boutons grâce auxquels l'utilisateur pourra valider et transmettre ou annuler et réinitialiser les informations qu'il vient de saisir.

Il existe plusieurs façons de dialoguer avec les utilisateurs, parmi lesquelles :

- ✔ Des zones d'entrée de texte dans lesquelles l'utilisateur peut taper ce qui lui plaît sur une ou plusieurs lignes.

- ✔ Des menus déroulants dans lesquels l'utilisateur doit choisir un élément parmi les choix qui lui sont proposés.

- ✔ Des boutons personnalisés, graphiques ou non.

- ✔ Des cases à cocher qui permettent de valider une ou plusieurs options.

- ✔ Des boutons radio permettant de choisir de façon exclusive une option parmi plusieurs.

Mise en œuvre des balises de formulaire

Vous pouvez créer une page séparée qui contiendra votre formulaire. C'est la solution à adopter si vous devez recueillir de nombreuses informations. Vous pouvez aussi écrire votre formulaire à l'intérieur de votre page courante. Cela ne change rien à la façon dont il devra être rédigé. Le dernier cas convient tout particulièrement aux petits formulaires (un demi-écran ou même moins).

Définition de l'environnement

Les deux attributs essentiels d'un formulaire sont `method` et `action`. Ils contrôlent la façon dont le navigateur enverra au serveur les informations saisies par l'utilisateur et indiquent quel programme (ou quel script) devra être appelé pour les traiter. Nous allons étudier séparément chacun d'eux.

method

Cet attribut peut prendre une des deux valeurs `post` ou `get`. Il sert à préciser sous quelle forme vont être transmises les informations au serveur. (`get` est déconseillé par la spécification HTML 4.0.) `post` expédie les informations de l'utilisateur une par une, alors que `get` les rassemble sous forme de paires [nom, valeur] en un curieux magma concaténé à une adresse.

action

C'est l'attribut `action` qui indique l'URL à utiliser pour désigner le programme qui va traiter le formulaire. Cette URL peut être relative ou absolue. Voici comment va se présenter l'enveloppe extérieure d'un formulaire :

```
<form method="post" action="cgi-bin/form.exe">

    ... ici viendra le contenu du formulaire

</form>
```

Entrée des informations : la balise <input>

La balise `<input>` demande un minimum de deux attributs : `type` et `name`. Le premier indique quel est le type de l'élément qui doit être affiché dans le formulaire ; le second assigne un nom au champ d'entrée correspondant à `type`, ce qui permettra de renvoyer des chaînes de caractères se présentant sous la forme de couples *nom=valeur*.

type

Voici les valeurs que peut prendre l'attribut `type` :

- `button` : Crée un bouton à usage général pouvant appeler un script local lorsque l'utilisateur clique dessus.

- `checkbox` : Affiche une case à cocher permettant à l'utilisateur de faire un choix parmi plusieurs valeurs proposées.

- `file` : Permet à l'utilisateur de télécharger un fichier vers le serveur. Il est nécessaire de spécifier une liste des types de fichiers acceptables au moyen de l'attribut `accept`.

- `hidden` : N'affiche rien sur l'écran. C'est par ce moyen que le formulaire peut renvoyer au serveur des informations sans que l'utilisateur en sache rien.

- `image` : Permet d'inclure une image parmi les objets d'une sélection.

- `password` : Identique à `text`, à ceci près que la frappe de l'utilisateur sera affichée sous forme d'astérisques. Mais la valeur ainsi saisie sera transmise en clair au serveur.

- `radio` : Affiche un bouton radio permettant des choix mutuelle-ment exclusifs.

- `reset` : Crée un bouton marqué `reset` (ou tout autre nom ayant le sens de "réinitialiser") qui permet à l'utilisateur d'annuler les choix déjà effectués et de recommencer *ab initio* à renseigner le formulaire.

- `submit` : Crée un bouton marqué `submit` (ou tout autre nom ayant le sens d'"'envoyer") qui permet à l'utilisateur de valider ses choix et d'expédier les informations qui viennent d'être recueillies au serveur.

- `text` : Affiche une boîte de saisie d'une ligne dans laquelle l'utilisateur peut taper du texte sous forme libre. Pour de plus longs messages, on aura recours au conteneur `<textarea>`.

Autres attributs de `<input>`

Il existe des attributs permettant de modifier ou de qualifier plus finement les champs utilisés. Certains, comme `align` ou `src`, ne concernent que des éléments spécifiques, alors que d'autres sont généraux. Tous ne sont pas reconnus par les navigateurs actuels. En voici une liste, présentée par ordre alphabétique :

- `align="top|middle|bottom|left|right"` : Précise l'alignement d'une image avec le texte dans le cas d'un élément de type image.

✔ checked : Définit l'état initial d'un bouton radio ou d'une case à cocher comme étant celui qui sera considéré comme coché par défaut.

✔ disabled : Rend un contrôle inutilisable (il continuera néanmoins à être affiché sur l'écran).

✔ maxlength="nombre" : Définit le nombre maximal de caractères pouvant être placés dans un élément text.

✔ readonly : Ni le contrôle ni ce qu'il renferme ne peuvent être modifiés par l'utilisateur. Les informations qui se trouvent initialement dans cet élément seront donc transmises telles quelles au serveur. Associé à l'attribut hidden, c'est un bon moyen de transmettre des informations de façon invisible.

✔ size="nombre" : Définit le nombre maximal de caractères pouvant être contenus dans un élément <text> sans entraîner le défilement de la fenêtre de saisie.

✔ src="url" : Indique le fichier source d'une image pour un élément d'entrée de type image.

✔ tabindex="nombre" : Spécifie l'ordre de tabulation à respecter pour passer le contrôle d'un élément à l'autre lorsque l'utilisateur tape sur la touche <Tab> de son clavier. Par défaut, c'est l'ordre d'apparition dans le formulaire.

✔ usemap="nom_de_fichier" : Identifie une image réactive de type "client-side".

✔ value="valeur" : Fournit une valeur par défaut pour un champ text ou hidden, ou un choix par défaut pour un bouton radio ou une case à cocher. On peut aussi utiliser cet attribut pour changer le nom des boutons submit et reset, en écrivant, par exemple : value="Valider et transmettre" pour l'un et value="Recommencer" pour l'autre.

Exemple d'entrée de texte

L'exemple simple ci-dessous montre comment pourrait se présenter un formulaire à base d'entrée de texte :

```
<html>
<head>
<title> Information de prise de contact</title>
<!-- le nom de ce formulaire est usr-inf.html -->
</head>
```

```
<body>
<h3>Pour mieux vous conna&icirc;tre</h3>
<p>Merci de bien vouloir renseigner ce formulaire afin
que nous sachions comment entrer en contact avec vous.

<form method="post" action="/cgi/usr-inf">
<p>Qui &ecirc;tes-vous ?</p>
<p>Pr&eacute;nom : <input name="prenom" type="text" size="12"
    maxlength="20">
Nom : <input name="nom" type="text" size="15"
    maxlength="25">
</p>
<p>Quelle est votre adresse postale :</p>
<p>1er champ : <input name="adr1" type="text" size="30"
    maxlength="45"></p>
<p>2&egrave;me champ : <input name="adr2" type="text" size="30"
    maxlength="45"></p>
<p>Code postal : <input name="code_post" type="text" size="10"
    maxlength="10">
Ville: <input name="ville" type="text" size="15"
    maxlength="30"></p>
<p>Pays : <input name="pays" type="text" size="15"
    maxlength="15"></p>

<p>Merci !
<input type="submit" value="Valider">
<input type="reset" value="Recommencer">
</form>

<address>
Exemple de formulaire - <i>HTML 4 pour les Nuls</i>,
3&egrave;me &eacute;dition - 2 octobre 2000 -
<br>
http://www.noplace.com/html4d/usr-inf.html
</address>

</body>
</html>
```

La Figure 17.1 vous montre comment Internet Explorer affiche ce
formulaire. Vous pourrez remarquer que les boîtes de saisie se
trouvent immédiatement à la suite des noms de champs qu'elles
permettent de renseigner. L'absence de tout alignement vertical rend
l'aspect global confus et désordonné.

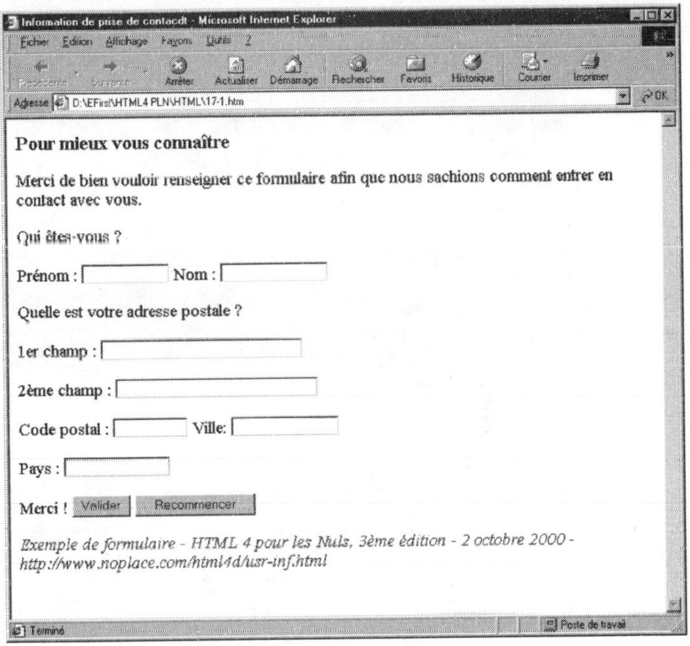

Figure 17.1 :
Notre
premier
formulaire,
affiché avec
Netscape.

Quelques choix avec <select>

La balise <select> ... </select> construit une liste déroulante
d'éléments <option> qui seront affichés dans une fenêtre pourvue
d'une barre de défilement sur sa droite. On peut y rencontrer les
attributs disabled, tabindex="nombre" et name="texte" qui
jouent le même rôle que pour <input>. Il existe en outre :

- size="nombre" : Contrôle le nombre d'éléments affichés par la liste déroulante.

- multiple : Indique une possibilité de choix multiples. En son absence, un seul champ à la fois peut être sélectionné.

L'exemple ci-dessous vous présente un formulaire contenant des
choix :

```
<html>
<head>
<title>HTML 4 pour les nuls - exemple de balise
```

```
      &lt;select&gt;</title>
<!-- le nom du formulaire est sel-spi.php -->
</head>
<body>
<h3>La s&eacute;lection de l'&eacute;pice du mois</h3>
<p>Pimentez un peu votre existence. Commandez quelques
&eacute;pices dans la s&eacute;lection que nous vous proposons.
<hr>

<form method="post" action="sel-spi.php">

<h4>Choix de poivres</h4>
<select name="poivre" size="4" multiple>
  <option> Poivre noir ordinaire</option>
  <option> Poivre gris</option>
  <option> Poivre d'&Eacute;thiopie</option>
  <option> Poivre de Cayenne</option>
  <option> Poivre d'Inde</option>
  <option> Poivre de la Jama&iuml;que</option>
  <option> Poivre vert</option>
</select>
<p>

<input type="submit" value="Valider">
<input type="reset" value="Recommencer">

</form>
</body>
</html>
```

La Figure 17.2 vous montre ce qui est affiché par Internet Explorer.

Exprimez-vous avec <textarea>

La balise <textarea> vous permet de créer des zones de saisie en
format libre dans lesquelles votre utilisateur peut raconter sa vie ou se
livrer à toute création plus ou moins littéraire à sa convenance. Outre
les attributs disabled, name, readonly et tabindex qui ont le
même sens que pour <input>, on peut y trouver :

✔ cols="nombre" : Nombre de caractères autorisés par ligne.

✔ rows="nombre" : Nombre de lignes de la fenêtre de saisie.

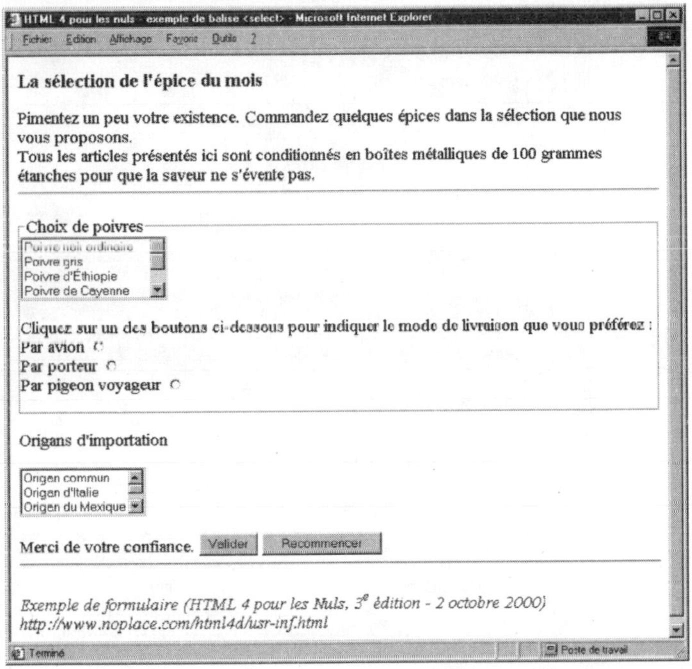

Figure 17.2 :
Utilisation
d'un
conteneur
<select>
dans un
formulaire.

Dans ce qui suit, nous avons retenu l'exemple d'un formulaire d'une
présentation concernant la recette des gaufres. Une zone <textarea>
permet au visiteur d'indiquer sa propre recette.

```
<html>
<head>
<title>La balise &lt;textarea&gt;</title>
</head>
<body>
<h3>Enqu&ecirc;te sur les gaufriers</h3>

<form method="POST" action="cgi/txt-ara">
<b>Merci de compl&eacute;ter les renseignements d'achat
qui suivent :</b>
<br>Num&eacute;ro de s&eacute;rie :
    <input name="serie" type="TEXT" maxlength="10">
<br>Prix d'achat :
```

```
    <input name=""prix" type="TEXT" size="6" maxlength="10">
<br>Lieu d'achat :
    <input name="lieu" type="TEXT" size="15" maxlength="10">
<hr>

<b>Deux mots sur vous-m&ecirc;me :</b>
Homme <input name="sexe" type="CHECKBOX" value="homme">
Femme <input name=sexe" type="CHECKBOX" value="femme">
<br>Age :
Moins de 25 ans :
    <input name="age" type="CHECKBOX" value-"jeune">
de 25 &agrave; 50 ans :
    <input name="age" type="CHECKBOX" value="adulte">
plus de 50 ans :
    <input name="age" type="CHECKBOX" value="ancien">

<hr>
Voulez-vous nous indiquer votre meilleure recette de
gaufres ?
</p>
<p>
<textarea name="recette" rows="12" cols="72">

</textarea>
</p>

<p>Merci <input type="SUBMIT" value="C'est bon">
<input type="RESET" value="Je veux recommencer">
</p>

</form>
</body>
</html>
```

Vous pourrez noter ici l'utilisation de cases à cocher pour la partie
enquête et d'une zone de texte `<textarea>` pour la recette. La
Figure 17.3 montre comment se présente un écran avec Internet
Explorer.

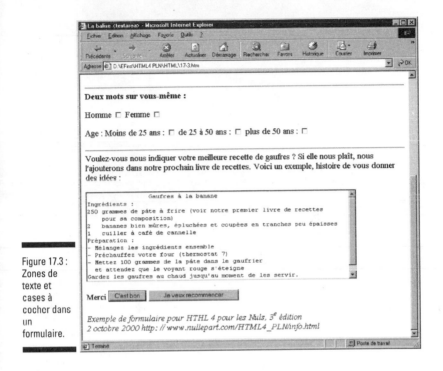

Figure 17.3 :
Zones de
texte et
cases à
cocher dans
un
formulaire.

Chapitre 18
Une affaire de style

*L*es *feuilles de style* sont l'une des plus intéressantes innovations apportées au Web par HTML 4.0. Grâce à elles, l'auteur Web a davantage de contrôle sur tout ce qui touche à sa mise en page : couleurs, polices, indentation, mise en place précise des éléments.

Vu l'importance des feuilles de style, le W3C leur a consacré une section entière de son site Web. Si vous lisez facilement l'anglais technique, reportez-vous à l'URL http://www.w3.org/pub/WWW/Style/.

Style et feuilles de style

Si vous avez déjà utilisé un traitement de texte moderne, vous savez ce qu'on entend par "feuille de style" (sans "s" à "style", s'il vous plaît !). Dans le cas contraire, vous allez découvrir que ce concept n'est pas compliqué. Une feuille de style permet de définir les informations nécessaires à la mise en page d'un document : polices, couleurs, indentations, marges, etc.

Dans le monde de l'édition, les feuilles de style sont une nécessité, car elles permettent à plusieurs personnes de collaborer efficacement à une œuvre commune. D'un autre côté, les feuilles de style sont un moyen de mettre fin à la domination des navigateurs ou, plus exactement, de leurs éditeurs, qui, depuis 1994, n'ont pas arrêté d'introduire de nouvelles extensions, la plupart du temps incompatibles entre elles. Ce qui pose, on s'en doute, des problèmes insolubles aux auteurs

Web soucieux de faire profiter le plus grand nombre de visiteurs de leurs présentations élaborées, quels que soient la plate-forme et le navigateur qu'ils utilisent.

Cette séparation entre le contenant et le contenu permet aux auteurs Web de modifier l'apparence de leurs documents tout en conservant un haut niveau de portabilité en ce qui concerne l'écriture des balises HTML. Ainsi, on coupe l'herbe sous le pied de tous ceux qui auraient encore envie de créer de nouvelles extensions plus ou moins propriétaires au langage HTML.

Les feuilles de style en cascade (CSS1 et CSS2)

CSS (*Cascading Style Sheets*, c'est-à-dire *feuilles de style en cascade*) est le nom officiel de l'ensemble des outils logiciels de feuilles de style. La première version (CSS1) a été suivie d'une deuxième (CSS2) et le W3C a lancé depuis peu un projet pour une troisième (CSS3). Malgré cette envolée vers l'avenir, à ce jour, l'implémentation de CSS1 n'est toujours pas réalisée de façon complète et identique par les principaux navigateurs. CSS1 concerne principalement les points suivants :

- Les polices de caractères : type, taille, couleur et effets.
- Arrière-plan et décor de fond.
- Mise en page du texte : alignement, indentation, espacement.
- Définition des marges et des bordures.
- Affichage des listes.

CSS2 a amélioré l'implémentation de plusieurs composants de CSS1 et ajouté quelques nouvelles fonctionnalités. Comme, dans l'état actuel des choses, CSS1 est plus largement compris des navigateurs que CSS2, c'est au premier modèle que le présent chapitre va être essentiellement consacré.

Que signifie le "C" de "CSS" ?

Une des dispositions fondamentales de CSS est la notion de "cascade" qui signifie que plusieurs auteurs peuvent attacher leurs feuilles de style préférées à un document HTML et leurs lecteurs y ajouter les leurs, ne serait-ce, par exemple, que pour compenser un handicap visuel. Ainsi, un malvoyant pourra s'affranchir de la distinction que fait l'auteur entre une police de corps 10 et une police de corps 12 en les remplaçant par la police de corps 40 qu'il a coutume d'utiliser.

CSS renferme un ensemble de règles permettant de résoudre les conflits pouvant surgir lors de l'application concomitante au même document de règles de style de diverses provenances. C'est là un point important, étant donné la nature inévitable de ces conflits. Pour cela, on attribue un "poids" à chaque règle au moyen d'une valeur numérique comprise entre 1 (la moins importante) et 100 (la plus importante).

Une fois que toutes les feuilles de style et leurs modifications ont été chargées en mémoire, le navigateur s'attache à résoudre les conflits qui peuvent surgir en appliquant cette règle de pondération.

Une feuille de style élémentaire

A quoi ressemble une feuille de style ? Pour en avoir une idée, regardez ce qui suit :

```
h1 {color:teal;
    font-family: Arial;
    font-size:36pt}

h2 {color:maroon;
    font-family: Arial;
    font-size:24pt}

h3 {color:black;
    font-family: Garamond;
    font-size:14pt}
```

Voici ce que signifient ces trois "règles" :

- ✔ Le contenu des balises <h1> sera affiché en bleu sarcelle (*teal*), avec une police Arial, dans un corps 36.

- ✔ Le contenu des balises <h2> sera affiché en marron, avec une police Arial, dans un corps 24.

- ✔ Le contenu des balises <h3> sera affiché en noir, avec une police Garamond, dans un corps 14.

Comment ajouter une feuille de style dans votre page Web

Il y a plusieurs façons d'incorporer des règles de style dans un document HTML :

- Créer un lien vers une *feuille de style externe* au moyen de la balise `<link>`.

- Importer une feuille de style au moyen de la commande `@import` (mais elle n'est pas reconnue par tous les navigateurs).

- Construire une *feuille de style interne* dans la page Web elle-même au moyen de la balise `<style>` ... `</style>`.

- Ajouter directement un style local à une balise au moyen de l'attribut `style` placé à l'intérieur d'un élément HTML.

L'exemple qui suit illustre chacune de ces quatre méthodes :

```
<html>
<head>
<title>Titre du document</title>
<!-- la balise link crée un lien vers une
     feuille de style externe -->
<link rel=stylesheet type="text/css"
      href="http://www.style.org/cool" title="Cool">

<!-- Une feuille de style interne est définie
     par une balise <style> ... </style> et on
     peut importer une feuille de style externe
     au moyen de la commande @import -->
<style type="text/css">
@import "http://www.style.org/basic.css"
h1 {color: blue}
</style>

</head>

<body>
<h1>Ce titre est bleu</h1>
<p style="color: green">tandis que ce paragraphe est vert
</body>
</html>
```

Autres particularités des feuilles de style

CSS possède encore d'autres avantages, parmi lesquels :

- ✔ **Regroupement :** On peut grouper plusieurs éléments stylistiques ou définitions de la façon suivante :

```
h1 {font-size: 12pt;
    line-height:14pt;
    font-family: Helvetica}
```

- ✔ **Héritage :** Les éléments HTML imbriqués héritent des définitions des feuilles de style assignées à leurs éléments parents (de niveau supérieur dans l'imbrication) à moins qu'une définition contraire soit stipulée. Ainsi, dans la ligne suivante :

```
<h1>Le titre <em>est</em> important</h1>
```

l'ensemble du titre sera affiché avec la couleur spécifiée pour <h1>, y compris le mot en italique, sauf si une règle a défini une couleur spécifique pour tout ce qui est placé dans un conteneur <em> ... </em>.

- ✔ **Sélecteurs de remplacement :** Pour la plupart des éléments HTML, il est possible (depuis HTML 3.0) de spécifier un attribut class et un attribut id. On peut ainsi définir localement des sous-ensembles ou des ensembles de remplacement pour certaines règles définies par une feuille de style. Par exemple :

```
<head>
<title>titre</title>
<style type="text/css">
h1.punk {color: #00ff00}
</style>
</head>

<body>
<h1>Pas vert</h1>
<h1 class=punk>Bien trop vert</h1>
</body>
```

Dans l'écriture h1.punk, la partie .punk signifie que cette règle s'appliquera seulement aux balises <h1> de la classe punk.

- ✔ **Sélecteurs dépendants du contexte :** Cette notion se définit plus facilement à l'aide d'un exemple :

```
<html>
<head>
<title>Feuilles de style</title>
<style>
  ul li {font-size:18pt}
  ul ul li {font-size:14pt}
  ul ul ul li {font-size: 10pt}
</style>

</head>
<body>
<h2>S&eacute;lecteurs d&eacute;pendants du contexte</h2>
<ul>
  <li>Marne</li>
  <ul>
    <li>Ch&acirc;lon sur Marne</li>
    <ul>
      <li>Epernay</li>
      <li>Reims</li>
      <li>Vitry-le-Fran&ccedil;ois</li>
    </ul>
  </ul>
</ul>
</body>
</html>
```

De cette façon, les articles de premier niveau des listes à puces seront affichés avec une police de corps 18, les articles de deuxième niveau avec une police de corps 14, et ceux de troisième niveau avec une police de corps 10. La Figure 18.1 montre le résultat obtenu.

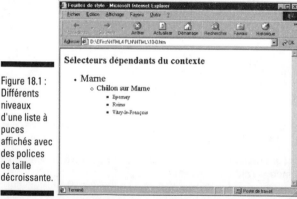

Figure 18.1 : Différents niveaux d'une liste à puces affichés avec des polices de taille décroissante.

✔ **Commentaires :** Il est toujours possible d'inclure des commentaires en les plaçant entre "/*" et "*/". Exemple :

```
/* Ceci est un commentaire */
```

Chapitre 19

Une nouvelle génération de HTML : XHTML

Dans ce chapitre :

▶ Qu'est-ce que XML ?

▶ Les avantages de XHTML.

▶ Différences entre HTML et XHTML.

▶ Conversion de documents HTML en documents XHTML.

▶ A la découverte de HTML Tidy.

X HTML est un des plus récents sigles forgés par le W3C. Il signifie littéralement *Extensible Hypertext Markup Language*, c'est-à-dire *Langage de marquage hypertexte extensible*. C'est une application de XML à HTML. Le but de ce chapitre est de vous donner quelques éléments pour comprendre et apprécier XHTML, vous permettant ainsi d'écrire vos propres documents XHTML.

Qu'est-ce que XML ?

XML a été présenté en 1998 comme étant une spécification formelle du W3C sous le nom de "recommandation". Dans leur processus de création, ses auteurs ont tenté de pallier tous les points faibles connus de HTML. D'après la plupart des concepteurs Web, XML semble déborder de bonnes intentions. Voici une liste condensée de ses bienfaits :

✔ **Structure des informations.** Les applications peuvent extraire toutes les informations dont elles ont besoin.

✔ **Echange de données.** Permet d'échanger le contenu de bases de données sur l'Internet.

✔ **Surensemble de HTML.** Vous pouvez utiliser des informations XML dans une page HTML. Autrement dit, vous pouvez intégrer des informations XML à l'intérieur de HTML.

✔ **Autodescriptif.** Aucune connaissance préliminaire d'une application n'est nécessaire.

✔ **Moteurs de recherche.** Augmentation de la pertinence des recherches en raison des informations contextuelles trouvées dans les documents XML.

✔ **Mises à jour.** Inutile de mettre à jour la totalité d'un site page par page. Le DOM (*Document Object Model*) qui se trouve au cœur de XML vous permet d'accéder à des éléments individuels pour les mettre à jour.

✔ **Personnalisation des affichages.** Différents utilisateurs peuvent accéder à différentes informations ou présenter les mêmes informations de façons différentes.

Pour toutes ces raisons et d'autres encore, de nombreuses entreprises ont adopté XML comme leur langage à balises préféré.

Toutes les règles gouvernant le comportement de XML sont définies dans une DTD (*Document Type Definition*) que vous devez créer avec vos balises personnelles et dont vous devez définir la syntaxe. Ces règles sont également valables pour XHTML. Rien ne vous empêche alors d'enrichir le vocabulaire du langage en y ajoutant les balises qui vous semblent appropriées au site que vous construisez.

Quant à XHTML, il respecte la spécification de XML, c'est-à-dire les règles de syntaxe de création des balises XML, et doit donc être associé à la DTD de HTML. Le "X" (*eXtended*) signifie que tout auteur peut y ajouter d'autres balises aussi longtemps qu'elles ne contreviennent pas aux règles de XML.

A la découverte de XML

L'usage de XML ou de XHTML est loin d'être aussi facile que celui de HTML . Alors, faut-il sauter le pas ?

✔ **Extensibilité.** Avec HTML, vous n'avez qu'un ensemble limité de balises à votre disposition alors que XHTML peut être étendu pour y inclure de nouvelles balises de votre cru avec de nouveaux attributs, ce qui vous permet d'enrichir le vocabulaire que vous utilisez dans l'écriture d'une page Web.

✔ **Portabilité.** Avec HTML, vous êtes obligé de créer une nouvelle page pour chaque type de navigateur pour ces minuscules terminaux. XHTML vous apporte la solution en vous autorisant à utiliser pour le WAP les mêmes balises que celles qui sont reconnues par HTML.

Les limites de HTML

L'idée qui a présidé à l'écriture de HTML était, somme toute, plutôt modeste : HTML était censé décrire non pas le contenu d'une page mais la façon dont ce contenu devait être affiché par un navigateur. Il a été créé pour décrire la *structure* d'un document sans réellement tenir compte de la façon dont il sera représenté sur un écran de navigateur.

Les concepteurs de pages Web se trouvent souvent confrontés à ce type de problème sans trop savoir comment le résoudre : "Mon titre principal devrait être affiché avec une police Arial de corps 36, centré dans le premier tiers de la page" car HTML ce n'est pas de la PAO.

De nos jours, les auteurs Web veulent exercer le même contrôle sur l'affichage de leurs présentations que celui qu'ils obtiendraient avec un logiciel de PAO. Ils veulent que ce qu'ils voient sur leur écran personnel soit exactement ce que verra n'importe quel utilisateur sur son propre écran. A cela, il y a deux obstacles principaux :

✔ **HTML est dépourvu de moyens de contrôle précis.** A la base, HTML ne dispose d'aucun moyen pour exercer un contrôle exact sur la présentation du contenu des documents. Vous ne pouvez pas spécifier la taille d'affichage d'un document ou contrôler la taille de l'écran qui servira à l'affichage d'une page.

✔ **L'affichage par les navigateurs n'est pas toujours le même.** D'une version à l'autre des deux ténors du marché (Internet Explorer et Netscape Navigator), le "rendu" peut varier. Sans compter avec les différentes plates-formes (Windows, UNIX, Linux, Macintosh...). Il est évidemment impossible de pouvoir tester un site Web avec toutes les versions de tous les navigateurs et sur toutes les plates-formes connues.

Conversion de HTML vers XHTML

En apprenant HTML, vous avez appris les bases de XHTML. A un détail près : les règles de syntaxe de XHTML sont bien plus contraignantes. Et si vous voulez être à même de tirer un profit maximal de l'extensibilité permise par XHTML, vous devez en savoir davantage sur XML et respecter **scrupuleusement** ces règles.

Nous allons maintenant vous exposer une par une les règles que vous devez suivre pour convertir un document HTML en document XHTML.

Règle 1 : Toute imbrication doit être stricte

Comme avec HTML, il est absolument interdit d'effectuer des recouvrements. Ce qui a été ouvert en premier doit être fermé en dernier. En voici un exemple :

Incorrect	Correct
<p>Ce que vous avez ouvert <em> en	<p>Ce que vous avez ouvert <em>en
premier</em>,	premier</em>,
vous devez le fermer <em>	vous devez le fermer <em>
en dernier</p></em>	en dernier</em></p>

Règle 2 : Il doit toujours exister une balise de fermeture

Moins on écrit de choses, moins on se fatigue et moins on risque de se tromper. Ainsi, il est bien agréable de pouvoir se dispenser d'écrire </p>. Hélas, c'est illicite en XHTML ! Cette règle ne concerne pas les balises orphelines (celles qui n'ont pas de balise de fermeture). Si une balise de fermeture est facultative, alors, elle doit toujours être écrite. Par exemple :

Incorrect	Correct
<ul>	<ul>
<li>Premier article</li>	<li>Premier article
<li>second article</li>	<li>second article
</ul>	</ul>

Règle 3 : Les valeurs des attributs doivent toujours être placées entre des guillemets ou des apostrophes

Il est dorénavant interdit d'écrire des valeurs d'attributs (qu'elles soient numériques ou alphabétiques) sans les placer entre guillemets ou entre apostrophes, à votre choix.

Incorrect

<colgroup span=40 width=15>

. . .

</colgroup>

Correct

<colgroup span="40" width="15">

. . .

</colgroup>

Règle 4 : Tous les éléments et les noms des attributs doivent être écrits en bas de casse

A la différence de HTML, XHTML est sensible à la casse : il fait la distinction entre ce qui est écrit en bas de casse (minuscules) et ce qui l'est en capitales (majuscules). Cette règle ne s'applique qu'aux noms de balises et d'attributs. Pas aux *valeurs* d'attributs.

Incorrect

<INPUT TYPE="CHECKBOX"

NAME="ANIMAL" VALUE="CHAT">

Correct

<input type="CHECKBOX"

name="ANIMAL" value="CHAT">

Règle 5 : Tout attribut doit avoir une valeur

Avec HTML, il existe des attributs dont la seule apparence dans une balise implique un effet particulier, sans qu'il soit besoin de leur donner une valeur. C'est le cas, par exemple de `checked`. Avec XML, cette tolérance devient caduque. On donne alors comme valeur à ces attributs orphelins leur propre nom.

Cette écriture est incorrecte :

Incorrect	Correct
<input type="CHECKBOX"	<input type="CHECKBOX"
name="ANIMAL" value="CHAT"	name="ANIMAL" value="CHAT"
checked>	checked="checked">

Règle 6 : Les balises orphelines doivent inclure un /

Les balises orphelines (qui n'ont pas de balise fermante) doivent avoir leur nom suivi d'un slash (/) à l'intérieur de leur balise initiale. Pour ne pas paniquer les anciens navigateurs, n'oubliez pas de faire précéder ce slash d'un espace.

Incorrect	Correct
<image src="monimage.gif">	<image src="monimage.gif" />

Règle 7 : Il doit toujours y avoir une déclaration DOCTYPE

Cette déclaration est celle qui définit la DTD et y fait référence. Voici à quoi elle ressemble :

```
<!DOCTYPE html PUBLIC
  "-//W3C//DTD.XML 1.0 Strict//EN"
  "DTD/xhtml1-strict.dtd">
```

Elle doit apparaître en tête du document, avant même <html>, et respecter la syntaxe suivante :

- ✔ Mot clé déclaratif : <!DOCTYPE.

- ✔ Type de document : html.

- ✔ Mot clé d'identification : PUBLIC.

- ✔ Identificateur public : "-//W3C//DTD.XML 1.0 Strict//EN".

- ✔ Nom du fichier contenant la DTD : "DTD/xhtml1-strict.dtd".

Cet exemple est l'une des trois formes autorisées. Voici les deux autres :

```
<!DOCTYPE html PUBLIC
  "-//W3C//DTD.XHTML 1.0 Transitional//EN"
  "DTD/xhtml1-transitional.dtd">
```

```
<!DOCTYPE html PUBLIC
  "-//W3C//DTD.XML 1.0 Frameset//EN"
  "DTD/xhtml1-frameset.dtd">
```

La seule différence entre ces trois formes est l'identificateur public de
la DTD et son nom de fichier.

Règle 8 : Vous devez inclure un namespace

Selon la spécification officielle, l'élément racine (`<html>`) doit
contenir un *namespace* (littéralement : *espace de nom*) défini au
moyen de l'attribut `xmlns`. Un *namespace* est l'ensemble des noms qui
seront utilisés comme types d'éléments et noms d'attributs. De façon
standard, on écrit :

```
<html xmlns="http://www/w3.org/1999/xhtml"></html>
```

Et maintenant, un exemple

Voici quelques fragments d'une des pages du site de LANWrights.
Vous pourrez constater que nous sommes loin d'avoir appliqué les
règles que nous vous avons conseillé de suivre. En particulier, y
figurent bon nombre de balises ou d'attributs dont le W3C déconseille
l'usage. Vous pourrez y découvrir quelques balises orphelines comme
`<br />`, et partout où c'est nécessaire des balises de fermeture
considérées comme facultatives avec HTML — comme `</p>`.

```
<!DOCTYPE html PUBLIC "-//W3C//DTD XHTML 1.0 Transitional//EN"
"DTD/xhtml1-transitional.dtd">
<html xmlns="http://www.w3.org/1999/xhtml">

<!-- Ceci est notre élément racine avec un namespace -->
<head>
<title>LANWrights - Network-Oriented Writing and Consulting </title>
<link href="lanwstyle.css" type="text/css" rel="STYLESHEET" />
</head>

<!-- Ici commence le corps de notre document XHTML -->
<body bgcolor="#FFFFFF">
```

```
<center>    <!-- Balise déconseillée par le W3C -->
<p><img src="graphics/lanwlogo.gif" alt="LANWrights" />
</p>
<p><img src="graphics/ntwkori.gif" width="469" height="25"
        alt="Network-Oriented Writing &amp; Consulting" />
</p>
<p><img src="graphics/line.gif" width="100%" height="1" />
</p>
</center>

[...]

<p class="address">
<a href="http://www.w3.org/Style/css/">
  <img src="graphics/css.gif" align="right" border="0"
        alt="Made With Cascading Style Sheets" />
</a>
<font face="ARIAL">URL: <!--Balise déconseillée par le W3C -->
  <a href="default.htm">http://www.lanw.com/ default.htm
  <br />
  </a>
Layout, design &amp; revisions &#169; 1997, 1998
<a href="default.htm">LANWrights
</a>
, Inc.
<br />
<a href="mailto:webmaster@lanw.com">Webmaster:
</a>
Chelsea Valentine
<br />
Revised -- February 14, 2000<i>[CV]</i>
</font>
</p>
</body>
</html>
```

Découvrez HTML Tidy

Le W3C a souhaité vous aider. Tout au moins c'est le vœu de l'un de
ses membres : David Raggett, qui a conçu un outil simple destiné à
détecter et à corriger certaines erreurs d'écriture, et à rendre plus
claire, plus lisible, une page maladroitement écrite. Ce logiciel
s'appelle HTML Tidy (*tidy* signifie bien rangé, bien propre) et son
utilisation est gratuite. On peut le trouver sur le site Web du W3C.

Pour en savoir plus à ce sujet, pointez votre navigateur sur la page `http://www.w3.org/People/Raggett/tidy`.

Ce n'est pas un programme Windows — il ne tourne que sous DOS. Par bonheur, pour ceux qui ne peuvent plus se passer d'une interface graphique conviviale, il existe un enrobage écrit par Peter Wiggin que vous trouverez à l'URL `http://webreview.com/1999/07/16/feature/xhtml.cgi`. Saisissez votre URL et vous verrez votre page convertie comme par magie sous vos yeux éblouis.

Sixième partie

Les dix commandements

"Nous avons réussi, dans notre programme de statistiques, à rendre nos camemberts interactifs."

Dans ce chapitre...

*I*ci, vous allez trouver un rappel de ce qu'il faut faire et de ce qu'il ne faut pas faire avec HTML. Puissiez-vous en faire bon usage !

Chapitre 20

Ce qu'il faut faire
et ce qu'il faut éviter

Ces quelques modestes recommandations vous aideront à tirer le maximum de vos pages Web et à conserver le contact avec vos utilisateurs. Si quelques-uns des points que nous avons développés tout au long de ce livre semblent brutalement resurgir ici, ce n'est pas par hasard.

Ne perdez jamais de vue votre contenu

On ne vous le dira jamais assez : c'est le contenu de vos pages qui justifie leur existence et non pas les images qui les parsèment ou l'harmonieuse disposition de leurs paragraphes. Leur structure doit être ordonnée de façon à placer ce qui est le plus important en tête et à laisser les détails se répartir harmonieusement dans le contexte.

Un site et des documents bien structurés

Il est essentiel que vos lecteurs trouvent sans encombre leur chemin dans vos pages Web. Plus votre présentation sera longue et complexe, plus ce point sera important. A la limite, cette structure pourrait se présenter comme un organigramme illustrant la façon dont vous avez organisé vos pages.

Un bon contenu sous-entend une solide organisation grâce à laquelle vous ne risquerez pas de vous égarer dans des diverticules lorsque vous passerez à l'étape d'écriture. C'est cette organisation qui donnera à vos pages cette impression de clarté qui retiendra vos visiteurs. Mais n'oubliez pas qu'une organisation n'est pas immuable et peut changer au cours du temps.

Suivez vos balises à la trace

Lorsque vous construisez vos documents, il est facile d'oublier de refermer les balises lorsque c'est indispensable (le `</a>` d'un ancrage, par exemple). Ne comptez pas trop sur votre période de tests pour vous signaler cet oubli, car certains navigateurs sont très indulgents vis-à-vis de ce type d'omission et corrigent d'eux-mêmes sans rien vous dire.

Certains éditeurs de logiciels destinés au Web vous affirmeront sans rougir qu'il n'est pas nécessaire de connaître HTML. Laissez-les dire, mais n'oubliez pas que HTML, c'est le support de vos pages. Si vous le comprenez bien, vous n'aurez aucun mal à voir ce qui ne va pas dans une page et comment le réparer. Suivez ces quelques conseils :

✔ Lorsque vous ouvrez un conteneur, c'est-à-dire un couple de balises (balise initiale et balise terminale), écrivez tout de suite les deux balises, avant même ce qui va se placer entre elles. La plupart des éditeurs spécialisés le feront pour vous.

✔ Utilisez un vérificateur de syntaxe HTML pour valider votre travail. Ils excellent à détecter une balise manquante. Voici à nouveau l'URL du vérificateur mis à votre disposition par le W3C : `http://validator.w3.org/`.

✔ Testez vos pages avec le plus grand nombre de navigateurs possible. Vérifiez bien que vous n'avez pas oublié de doubler chacune de vos images par un texte de remplacement.

✔ Respectez toujours scrupuleusement la syntaxe de HTML. Ce n'est pas parce que beaucoup de navigateurs tolèrent l'absence des conteneurs `<html>`, `<head>` et `<body>` que vous devez les omettre.

Bien que HTML ne soit pas à proprement parler un langage de programmation, vous pouvez vous le représenter comme tel et adopter les mêmes règles de conduite que si vous écriviez un programme.

Faites des pages accrocheuses

Ce n'est pas parce que nous condamnons l'excès d'images qu'il faut absolument vous en priver. Respectez la même organisation dans toutes vos pages afin de ne pas dérouter votre lecteur.

Lorsque vous êtes dans la phase de conception de vos documents HTML, partez d'un schéma général et définissez un groupe d'icônes de navigation faciles à interpréter que vous utiliserez dans toutes vos pages sans exception. Usez-en mais n'en abusez pas, et placez-les aux endroits stratégiques de façon que vos visiteurs n'aient jamais la sensation d'être prisonniers ou de se retrouver au fond d'une impasse. Choisissez-les de petite taille et avec 256 couleurs au plus, de façon que leur temps de chargement ne constitue pas une gêne.

Evitez de dépendre d'un navigateur particulier

Nous avons souligné à maintes reprises les différences d'interprétation du même document HTML d'un navigateur à l'autre. Si personnellement vous utilisez la dernière version du navigateur le plus imaginatif, vos pages vous sembleront probablement pétillantes et accrocheuses, mais qu'en sera-t-il pour ceux qui n'ont pas fait le même choix que vous ?

Certes, vous ne pouvez pas tenir compte de tous les navigateurs existants, et il ne faut surtout pas vous aligner sur les faiblesses de ceux qui sont à la traîne. Peut-être n'aurez-vous pas la possibilité d'expérimenter des navigateurs d'une autre plate-forme que la vôtre. C'est bien dommage, mais, quoi qu'il en soit, faites pour le mieux.

Evolution mais pas révolution

Au fil des jours, vos pages vont se transformer. Essayez de les voir d'un œil neuf lorsque vous procédez à des mises à jour. Demandez donc leur avis à ceux qui les découvrent pour la première fois.

Vos pages doivent évoluer en douceur, sans changer de fond en comble. Si vous voulez en modifier certaines parties de façon importante, faites-le progressivement, par petites touches, point par point et sans bouleverser radicalement la structure de l'ensemble de la présentation. Ajoutez une image par-ci, enlevez-en une par-là... Si vous gérez un catalogue de produits, nul doute que son organisation ne sera plus la même si de trois produits vous passez à vingt-cinq ! La structure d'une page doit savoir s'adapter (c'est le maître mot) à l'évolution de son contenu.

Aides à la navigation

Au Chapitre 7, nous vous avons présenté le concept de "barre de navigation" qui permet aux utilisateurs d'éviter de trop faire défiler les pages. Par un usage judicieux de liens *intratexte* (par opposition aux liens *hypertexte*), vous pouvez présenter de petites unités d'information sans que l'utilisateur ait besoin de faire défiler continuellement vos pages. Pensez, par exemple, à l'emploi de tables des matières ou d'index qui facilitent le passage d'un écran au suivant.

Nous ne pensons pas qu'il soit obligatoire de créer des barres de navigation, mais n'oubliez pas que plus vous donnerez de moyens de contrôle à vos utilisateurs, plus ils trouveront de l'agrément à la lecture de vos pages. Cela sera d'autant plus vrai que vos documents HTML seront longs ou complexes.

Evitez le piège du texte en deux dimensions

Conditionnés comme nous le sommes par des siècles d'existence de la chose imprimée et par sa structure linéaire, il nous est difficile de concevoir un autre mode d'organisation ; c'est pourtant nécessaire avec le Web où la notion de "page" perd son sens habituel.

Essayez d'échapper à ce mode de pensée linéaire qui est trop souvent le nôtre : vos pages ne s'en porteront que mieux et vos visiteurs les apprécieront davantage. C'est dans cette optique que nous vous poussons à mettre en place des index, des références croisées, des liens vers d'autres documents et toutes sortes d'outils destinés à faciliter la navigation dans votre site Web. De bons et solides liens sont le meilleur moyen d'échapper au piège du texte linéaire.

Ne succombez pas à l'inertie

Ne vous reposez pas sur vos lauriers, et souvenez-vous qu'il est nécessaire de faire évoluer le contenu de vos pages en fonction de l'actualité. Le propre du Web, contrairement aux documents imprimés, c'est de pouvoir changer rapidement en se pliant à la contrainte apportée par des événements extérieurs. Si vous avez réussi à créer quelque chose d'intéressant, ne pensez pas que ça va le rester éternellement. Au fil des jours, vos pages vont perdre de leur valeur. Comme pour un avion, la maintenance périodique et régulière est un atout de survie. C'est pourquoi nous avons insisté sur l'importance de dater votre présentation. Passé un mois, ce qu'elle renferme risque d'être assimilé à du poisson pas frais et à exercer un effet répulsif sur ceux qui avaient envie d'en prendre connaissance.

Chapitre 21

Les dix commandements du concepteur de pages Web

. . . .

Dans ce chapitre :

▶ Standardisation de la mise en page.

▶ Comment bien utiliser les images, le multimédia et l'hypermédia.

▶ *Vox populi, vox Dei* (le dialogue avec vos utilisateurs).

▶ Encore quelques sages conseils (ça ne peut jamais faire de mal).

. . . .

L orsqu'on construit un site Web, il est essentiel d'avoir une idée claire de ce qu'on essaie de communiquer. Nous aimerions vous rappeler ici quelques points à prendre en compte lorsque vous rassemblez les matériaux qui vont constituer vos pages.

Une mise en page standardisée

Que vous créiez un nouveau site ou que vous en mettiez à jour un ancien, la première chose à faire est de définir une mise en page homogène pour toutes ses pages. Certains éléments comme les logos graphiques doivent se retrouver de page en page, par exemple dans des en-têtes ou des pieds de page. Ceux dont l'ambition va plus loin et qui ne craignent pas d'affronter l'effort nécessaire utilisent des feuilles de style pour homogénéiser leur mise en page. Si vous aimez les structures de cadres (*frames*), c'est le moment d'y penser.

Les en-têtes peuvent contenir des barres de navigation ou toutes sortes d'informations que vous souhaitez mettre partout à la disposition de vos lecteurs. Les pieds de page doivent contenir les informations nécessaires pour entrer en contact avec vous ainsi que l'URL originale, tout cela étant précédé d'une barre horizontale affichée au moyen de la balise <hr> ou créée par une image longiligne.

Le vocabulaire graphique

Les sites Web parlent en images, peut-être parce que "un court croquis vaut un long discours". Si vous avez choisi d'organiser la navigation dans votre site à l'aide d'images, choisissez celles-ci de petite taille et aussi simples que possible, de façon à réduire le temps nécessaire à leur chargement.

Cet ensemble d'icônes récurrentes va constituer ce qu'on peut appeler un *vocabulaire*. Leur réutilisation dans vos pages améliorera les performances de votre navigateur qui, grâce à son mécanisme de cache, n'aura pas besoin de les recharger.

Aérez votre texte

Evitez d'entasser vos paragraphes. Laissez-les respirer. En général, un marqueur de paragraphe (<p>) est préférable à une simple rupture de ligne (<br>). On considère que les lignes vierges ainsi insérées doivent occuper à peu près 20 % de la surface d'un écran.

Une bonne mise en forme attire le regard

Bien que réduites, les possibilités de formatage de HTML permettent de varier la présentation du contenu dans d'assez larges proportions. Malheureusement, vous savez que les navigateurs ne font guère de différence (sinon aucune) entre formatage logique (<em>, <strong>, <cite>...) et formatage physique (<b>, <i>, <tt>...).Grâce aux feuilles de style, vous avez à votre disposition des moyens à la fois plus souples et plus variés de soigner la mise en page d'une façon uniforme dans tout votre site.

De même pour les polices de caractères. Les débutants qui découvrent le traitement de texte se font plaisir en utilisant une demi-douzaine de polices différentes dans la même page, ce qui est à la fois inutile et laid. Ne commettez pas la même erreur.

Améliorez votre contenu avec des images

Ne faites pas de votre présentation une bande dessinée. Les images ne doivent être là que pour renforcer le texte. Pensez à leur temps de chargement et à l'impatience que ce délai peut faire naître chez le lecteur. Le recours à un schéma peut contribuer à augmenter considérablement la clarté d'un exposé, voire à en réduire la longueur.

Vous aurez remarqué que dans ce livre, comme dans toute publication imprimée, on "appelle" toujours les figures et que celles-ci comportent toujours une légende. Dans une présentation Web, ce n'est que rarement le cas puisque le concept de "page physique" est très différent dans ces deux médias. Si la figure n'est pas entourée par le texte et qu'elle n'est pas unique, il faut la repérer au moyen d'une légende pour pouvoir y faire référence de façon précise. Et compte tenu des moyens que met HTML à votre disposition, le problème n'est pas simple à résoudre.

Méfiez-vous de l'hypermédia (sons et animation). Tous vos lecteurs ne seront pas à même d'apprécier cet aspect qui, en outre, dans une entreprise, risque d'être mal vécu. Quant au temps de chargement d'un fichier audio, mieux vaut n'en pas parler, car, en comparaison, le chargement d'une grande image est rapide !

Faites attention au copyright ! Pensez à obtenir l'approbation écrite de ceux à qui vous voulez emprunter des éléments sonores ou visuels.

Du bon usage de l'hypermédia

L'hypermédia ne sera utilisé avec efficacité que si vous parvenez à une forte intégration avec le contenu de la page. Il faut être conscient de l'éventuel goulet d'étranglement qui peut en résulter pour l'utilisateur. Vous devez toujours obtenir le *consentement préalable* de vos utilisateurs avant de leur "offrir" son, image ou animation.

S'il s'agit d'une grande image, présentez-la d'abord sous forme de vignette, en n'oubliant pas d'indiquer sa taille en vraie grandeur. Vous en ferez ainsi une sorte d'image réactive sur laquelle vos visiteurs pourront cliquer s'ils veulent réellement charger l'image elle-même en vraie grandeur.

Placez des aides à la navigation partout où c'est possible

Une page Web est un territoire inconnu où le visiteur qui débarque ne sait pas trop comment trouver son chemin. Tables des matières, index, moteurs de recherche... l'aideront à s'y retrouver facilement dans des documents complexes. Plus il se sentira en confiance, plus il aura envie de revenir sur votre site. Alors, pourquoi vous en priver ?

Vox populi, vox Dei

Pour nous, aucun site Web n'est complet s'il ne propose pas un formulaire demandant au visiteur son opinion sur ce qu'il a sous les yeux. Cela vous donnera l'occasion de recueillir des avis désintéressés sur votre travail et pourra constituer une source d'inspiration (ou de rancœur ?) pour l'amélioration de votre chef-d'œuvre.

A quel moment devez-vous couper ?

Au fur et à mesure que s'allongent vos pages, la complexité de votre présentation augmente, et il devient de plus en plus important de fractionner une longue page en un ensemble de pages plus petites, plus maniables.

A quel moment devez-vous décider de pratiquer cette césure ? Un long document prend davantage de temps pour se charger (ce qui a peu d'importance, la plupart des navigateurs commençant l'affichage dès qu'ils ont reçu de quoi remplir un écran). Plusieurs documents plus courts ne se chargeront que l'un après l'autre, mais vous introduirez ainsi des respirations supplémentaires dans la symphonie de votre présentation, et ces heurts risquent d'irriter votre lecteur s'ils se répètent trop souvent. Tout dépend — une fois de plus — du contenu.

Ajoutez de la valeur à vos pages

Recevoir des informations de vos utilisateurs sur la qualité de votre présentation, c'est bien ; mais il faut aussi en accuser réception, non pas en détail, point par point, mais plutôt de façon synthétique. C'est à quoi peut servir une page "Quoi de neuf ?" vers laquelle on peut aboutir à partir de plusieurs pages et qui ne fait pas réellement partie de votre discours. Vos commentateurs vous sauront gré de prendre la peine de leur donner un petit coup de chapeau. Rien ne vous empêche d'entrer en relation épistolaire (de préférence par *e-mail*) avec ceux qui auront fait les commentaires les plus pertinents.

Chapitre 22

Une dizaine de moyens d'exterminer les bugs des pages Web

. . . .

Dans ce chapitre :

▶ Evitez tout *faux pas* dans l'emploi des balises et dans le texte.

▶ Vérifiez périodiquement la validité de vos liens.

▶ Testez, testez encore, testez toujours.

▶ Mettez à profit les commentaires de vos visiteurs pour éliminer tout bug résiduel de vos pages.

. . . .

L orsque vous avez mis la dernière main à un ensemble de pages, il est temps de les soumettre à l'épreuve du feu. Ces tests doivent porter sur le contenu lui-même, sur la syntaxe HTML et sur sa sémantique, sans oublier tous les liens internes ou externes. Vous allez trouver ici quelques conseils destinés au chasseur de bugs que vous allez devenir.

Vérifiez et revérifiez

Lors de la conception de votre présentation, vous avez certainement établi un schéma montrant l'articulation de vos pages et les différents chemins qu'on peut emprunter pour les parcourir. Avez-vous pensé à faire évoluer ce schéma pour qu'il reste conforme à la réalité au cours des modifications qui vous sont apparues nécessaires ? Vérifiez qu'on y retrouve bien tous les liens internes et externes. Ce schéma peut vous servir de base pour établir un plan de test.

Maîtrisez la technique du texte

La réunion d'une collection de pages Web constitue un ensemble comptant des milliers de mots. Vous seriez surpris de connaître le nombre de pages Web qui ont été dévoilées au public sans que quiconque ait pris soin d'en vérifier très soigneusement l'orthographe. Nous avons déjà signalé la difficulté de cette vérification pour l'auteur non américain en raison de la représentation des caractères diacritiques par des entités. Raison de plus pour être très attentif.

Mais le hic, c'est d'avoir soi-même une connaissance suffisante des règles de l'orthographe et de la ponctuation. Ce n'est pas donné à tout le monde, hélas ! Et, en plus, certains mots sont facilement confondus avec d'autres. Combien de fois n'avons-nous pas vu "or" écrit "hors", "se" confondu avec "ce" ? Combien avons-nous trouvé de participes grinçants parce que mal accordés ou utilisés à la place d'un infinitif ? Certains de nos compatriotes sont même incapables de faire la distinction entre l'emploi de l'apostrophe et celui du tiret : "aime t'il" au lieu de "aime-t-il", etc.

Si vous êtes illettré ou dyslexique et que personne, dans votre entourage, ne soit capable de maîtriser suffisamment sa propre langue pour offrir un texte correct, renoncez à publier sur le Web ou bien assurez-vous le concours (bénévole ou rémunéré) d'un correcteur d'imprimerie ou d'une institutrice en retraite.

Publier une page contenant des fautes d'orthographe est comme aller à une soirée avec une grosse tache de graisse sur sa veste. Vous donnerez l'impression d'être négligent ou malpropre.

Resserrez vos liens

Rien n'est plus agaçant pour un lecteur que de cliquer sur un lien pour aboutir à l'infâme message `404 server not found` signalant que l'adresse sollicitée n'existe pas (ou plus).

Pensez donc à effectuer un test systématique de chacun des liens parsemant votre présentation au moment de chaque révision périodique. Vous pouvez aussi faire effectuer ce travail par un robot. Ce type d'outil infatigable vous épargnera bien du souci. Nous sommes particulièrement satisfaits des services du robot appelé MOMspider créé par Roy Fielding du W3C. Vous pouvez consulter sa page d'accueil à l'URL `http://www.ics.uci.edu/WebSoft/MOMspider`.

Lorsque vous trouvez un lien invalide, ne vous contentez pas de le supprimer. Essayez plutôt de le mettre à jour et de savoir où se trouvent les pages Web auxquelles il aboutissait.

Cherchez l'erreur là où elle ne devrait pas se trouver

On ne trouve généralement pas ses propres erreurs, car on sait si bien ce qu'on a voulu exprimer qu'inconsciemment on les corrige en lisant ses pages. C'est la raison pour laquelle il faut avoir recours à un œil neuf : celui de collègues particulièrement pointilleux et tatillons, par exemple.

A l'instar d'un programme, une présentation Web doit être "idiot proof", c'est-à-dire pouvoir résister à l'utilisation par un lecteur "bas de plafond" à qui peuvent venir des idées qui ne sont pas censées se présenter à l'esprit d'un lecteur intelligent. Le bénéfice de cette torture est assurément positif. Vos pages en sortiront renforcées, plus claires, plus avenantes, et on ne pourra pas dire, parlant de vous et de votre présentation : "On voit bien qu'il l'avait conçue sans plaisir !"

N'oubliez personne

Ce que nous allons dire ici ne s'applique pas aux pages personnelles, mais à celles réalisées dans le cadre d'une entreprise. Normalement, ce type de présentation devrait être le point de rencontre de trois catégories professionnelles : les informaticiens, les commerciaux et les gens du marketing. Aussi, avant de publier quoi que ce soit, devez-vous normalement obtenir le feu vert des autorités compétentes, chacune dans son domaine. Pensez aux questions de brevets et de copyrights, à la protection du secret industriel, etc.

Les outils du testeur

N'oubliez pas que pour tester la validité de vos liens, vous pouvez recourir à des processus automatisés comme celui que propose le W3C à l'URL `http://validator.w3.org`. Pensez aussi aux araignées (*spiders*) et autres nageurs (*webcrawlers*) du Web. N'ayez pas peur de les mettre au travail sur vos propres pages. Faites-en un usage régulièrement planifié (au détriment de la bande passante de l'Internet, hélas !).

Le recueil du renseignement

Les réactions de vos utilisateurs sont une autre forme de test, c'est pourquoi il est important de les inciter de toutes les façons possibles à vous faire connaître leur avis au moyen de formulaires soigneusement disposés dans vos pages. Ne vous contentez pas d'avoir bonne conscience en leur ayant offert cet exutoire. Pensez non seulement à prendre connaissance de leurs avis, mais aussi à en tirer parti. Et faites-leur savoir quelle suite vous comptez donner à leurs conseils et commentaires. C'est le meilleur moyen d'en faire des alliés.

"Ce qu'il écrit est fantastique, mais manque un peu de musicalité."

Dans cette partie...

Le contenu de cette partie ressemble à la notice d'emploi que vous trouvez dans les nouveaux appareils (ou les nouveaux logiciels) que vous achetez. Vous n'avez pas réellement besoin de la lire, mais cela peut vous éviter un certain nombre de tâtonnements, d'hésitations ou d'erreurs.

L'Annexe A vous présente un résumé de la syntaxe de HTML 4.01 et de ses balises. L'Annexe B vous propose un glossaire dans lequel sont expliqués nombre de termes techniques qui peuvent être nouveaux pour vous et que nous n'avons pas eu l'occasion de définir dans nos pages au moment où ils sont apparus. Enfin, l'Annexe C fait un tour d'horizon de quelques-uns des outils Web que vous propose l'industrie informatique.

Annexe A

Les balises HTML 4

. . . .

*P*our vous faciliter la vie lorsque vous codez des balises à la main, nous vous proposons le Tableau A.1 qui présente la liste des balises avec les conventions suivantes :

- **Nom :** Le nom de la balise.

- **Balise initiale et balise terminale** : Un F signifie que la balise initiale ou la balise terminale est facultative ; un I dans la colonne "Balise terminale" signifie que la balise terminale est interdite.

- **Balise orpheline** : Un O signifie qu'il s'agit d'une balise orpheline (elle n'a pas de balise terminale).

- **Déconseillé** : Un D dans cette colonne signifie que l'usage de cette balise est déconseillé par le W3C.

- **Description** : Courte description de ce que fait cette balise.

Tableau A.1 : Balises HTML.

Nom	Balise initiale	Balise terminale	Orpheline	Déconseillé	Description
a					Ancrage
abbr					Forme abrégée (par exemple WWW, HTTP)
acronym					Signale un acronyme
address					Informations sur l'auteur
applet				D	Applet Java
area		I	O		Image réactive côté client

Tableau A.1 : Balises HTML (suite).

Nom	Balise initiale	Balise terminale	Orpheline	Déconseillé	Description
b					Mise en gras
base	I	0			URI de base
basefont	I	0	D		Définition d'une police générale
bdi					Sens du texte
big					Police plus grosse
blockquote					Longue citation
body	F	F			Corps du document
br	I	0			Rupture de ligne
button					Bouton poussoir
caption					Titre de tableau
center				D	Centrage
cite					Courte citation
code					Fragment de programme
col	I	0			Colonne de tableau
colgroup	F				Groupe de colonnes d'un tableau
dd	F				Définition d'une description
del					Texte supprimé
dfn					Définition
dir				D	Liste de répertoires
div					Groupement de balises
dl					Liste de définitions
dt	F				Définition d'un terme
em					Mise en valeur
fieldset					Groupement de balises dans un formulaire
font				D	Définition d'une police locale
form					Formulaire
frame	I	0			Définition d'un cadre

Tableau A.1 : Balises HTML (suite).

Nom	Balise initiale	Balise terminale	Orpheline	Déconseillé	Description
frameset					Définition d'une structure de cadres
h1					Titre de niveau 1
h2					Titre de niveau 2
h3					Titre de niveau 3
h4					Titre de niveau 4
h5					Titre de niveau 5
h6					Titre de niveau 6
head	F	F			Section d'en-tête d'un document HTML
hr		I	O		Filet horizontal
html	F	F			Document HTML
i					Mise en italique
iframe					Cadre interne à une page
img		I	O		Insertion d'une image
input		I	O		Contrôle de formulaire
ins					Texte inséré
kbd					Texte à saisir par l'utilisateur
label					Etiquette de champ de formulaire
legend					Légende de fieldset
li		F			Article de liste
link		I	O		Lien hypertexte
map					Carte de navigation côté client
meta		I	O		Méta-information
noframes					Contenu de remplacement pour les navigateurs ignorant les cadres
noscript					Contenu de remplacement pour les navigateurs ignorant les scripts

Tableau A.1 : Balises HTML (suite).

Nom	Balise initiale	Balise terminale	Orpheline	Déconseillé	Description
object					Inclusion d'un objet
ol					Liste numérotée
optgroup					Groupe d'options
option		F			Liste de choix possibles
p		F			Paragraphe
param		I	O		Couple nom/valeur
pre					Texte préformaté
q					Courte citation en ligne
s				D	Texte barré
samp					Exemple de programme
script					Insertion d'un script
select					Sélecteur d'option
small					Police plus petite
span					Inclusion d'un style local
strike				D	Texte barré
strong					Forte mise en valeur
style					Style local
sub					Texte en indice
sup					Texte en exposant
table					Tableau
tbody	F	F			Corps d'un tableau
td		F			Cellule de tableau
textarea					Zone de saisie de texte
tfoot		F			Pied de tableau
thead		F			En-tête de tableau
title					Titre général d'un document HTML
tr		F			Ligne de tableau
tt					Police à pas fixe

Tableau A.1 : Balises HTML (suite).

Nom	Balise initiale	Balise terminale	Orpheline	Déconseillé	Description
u				D	Souligné
ul					Liste à puces
var					Variable ou argument

Annexe B
Glossaire

Absolu (chemin d'accès) Indique que toute l'arborescence du chemin d'accès est détaillée. S'oppose à **relatif** (voir ce mot).

accès (chemin d') Parcours qu'il faut suivre le long de l'arborescence d'une structure de répertoires pour atteindre un certain fichier.

accueil (page d') Premier écran d'un site Web. En anglais : *home page*.

adresse électronique Etiquette au moyen de laquelle l'Internet vous identifie et vous permet de recevoir du courrier électronique. Elle se présente généralement sous la forme `utilisateur@site.pays`, où `utilisateur` représente votre nom d'utilisateur, `site`, le nom de la machine sur laquelle est ouvert votre compte utilisateur, et `pays`, un code de trois lettres pour les Américains et de deux lettres pour le reste du monde. `site` peut lui-même être composé de plusieurs noms séparés par des points.

adresse IP Suite de quatre nombres représentant de façon unique l'adresse d'un site, d'un serveur ou d'un service Internet. On peut comparer cette adresse à un numéro de téléphone.

America On Line (*AOL*) Fournisseur d'accès à valeur ajoutée implanté en France depuis le début de 1996. Revendique le plus grand nombre d'abonnés dans le monde. Les abonnés ont une adresse de la forme `utilisateur@aol.com`.

ancrage Texte ou image servant d'*appel de lien* pour charger un autre document interne ou externe. Inversement, c'est aussi l'étiquette d'un point d'accès dans une page.

animation Processus de création et de diffusion d'images animées.

ASCII (*American Standard Code for Information Interchange*) Code à 7 bits utilisé sur l'Internet pour transmettre des caractères sous forme numérique.

attribut Elément d'une balise HTML servant à préciser certains détails. Il existe des attributs facultatifs et d'autres qui sont obligatoires (comme l'adresse du fichier source pour `<img>`, par exemple). Sa forme générale est `attribut="valeur"`.

balise Nom d'un élément HTML placé entre deux chevrons : "`<`" et "`>`".

bande passante Sur l'Internet, caractérise la quantité d'informations susceptibles d'être transmises à un instant donné.

baud Terme technique caractérisant la vitesse de modulation d'un signal sur une voie de transmission. A ne pas confondre avec **bps** (voir cette abréviation) qui caractérise le débit efficace de la voie. Une ligne à 2 400 bauds peut supporter un débit de 56 000 bps.

binaire (fichier) Fichier contenant des informations qui ne sont pas du texte pur (images, sons, programmes...).

bit (*binary digit*) C'est la plus petite quantité d'information représentable dans un ordinateur. Ce "chiffre binaire" peut prendre les valeurs 1 ou 0. On utilise plus couramment des "paquets" de bits comme les octets (8 bits).

bitmap Type de fichier d'image dans lequel l'image est décomposée en points individuels.

bps (*bits per second* ou "bits par seconde") Unité de mesure du débit d'une voie de transmission caractérisant ce qu'on appelle impropre-ment la "vitesse" d'un modem. Ne pas confondre avec **baud** (voir ce mot).

browser (brouteur, navigateur, fureteur, butineur...) Logiciel d'explo-ration du Web. Faute de mieux, on le traduit généralement en français par le terme "navigateur".

bug Littéralement "punaise". Désigne un comportement erratique d'un logiciel généralement dû à une erreur de programmation. Certains ont proposé de le traduire par "bogue".

byte Voir **octet**.

C Langage de programmation développé chez AT&T par Kernighan et Ritchie dans les années 70. Très utilisé sous UNIX ainsi que sur d'autres plates-formes.

cache Lorsqu'il s'applique à un navigateur, ce mot désigne une mémoire intermédiaire de stockage (disque dur et/ou RAM) dans laquelle sont conservés des éléments d'une page Web tels que les images. On évite ainsi d'avoir à les télécharger une autre fois lorsqu'ils apparaissent à nouveau dans une page.

caractère (mode) Appliqué à un navigateur, désigne un logiciel incapable d'afficher des images et dont le principal (sinon l'unique) représentant subsistant à l'heure actuelle est Lynx. On dit plus volontiers "mode texte".

CCITT (Comité consultatif international pour le télégraphe et la téléphonie) S'appelle maintenant **ITU** (voir ce mot).

CD-ROM Disque de matière plastique de 12 cm de diamètre sur lequel sont gravées des informations réparties le long d'une piste en forme de spirale. Il est utilisé pour de nombreuses applications dont l'enregistrement de données ou de programmes informatiques. Sa capacité est généralement de 650 Mo (1 Mo = 1 024 Ko).

CERN (Centre européen pour la recherche nucléaire) Situé à Genève. C'est là qu'est né le Web.

CGI (*Common Gateway Interface*) Interface permettant la communication d'informations d'un navigateur vers le serveur.

client Ordinateur ou programme connecté à un correspondant baptisé **serveur.**

client/serveur (modèle) Type d'architecture dans laquelle le travail est réparti en deux groupes : celui qui fournit des informations et celui qui les reçoit.

com Suffixe qu'on trouve fréquemment à la fin d'une adresse électronique américaine. Caractérise une entreprise commerciale. Exemple : www.microsoft.com.

compression Opération visant à réduire la taille d'un fichier ou d'un groupe de fichiers (une archive). S'effectue au moyen de logiciels particuliers tels que PKZIP ou WINZIP dans le monde PC (StuffIt, chez les adeptes du Macintosh).

conteneur Ensemble de deux balises : une balise initiale et une balise terminale entre lesquelles on peut placer des objets HTML (texte ou image, par exemple).

contenu Ensemble des éléments constitutifs d'un document HTML. Concerne plus spécialement les idées exprimées que leur mise en forme.

contrôles de navigation Repères de navigation formant un ensemble cohérent et destinés à faciliter la navigation dans une page Web

CSS1 (*Cascading Style Sheet Level 1*) Standard de feuilles de style permettant à un auteur Web de définir la mise en forme de ses pages au moyen de règles de style.

CSS2 (*Cascading Style Sheet Level 2*) Deuxième version du standard des feuilles de style de type CSS.

CSS3 (*Cascading Style Sheet Level 3*) Ensemble de propositions visant à définir une troisième version des feuilles de style de type CSS.

décompression Opération inverse de la compression, grâce à laquelle on restitue leur forme originale aux fichiers compressés d'une archive. Dans le monde PC, les programmes les plus utilisés pour cela s'appellent PKUNZIP et WINZIP. Pour les Macintosh, c'est StuffIt.

déconseillé (*deprecated*) Le W3C qualifie ainsi une balise ou un attribut lorsque son usage ne doit plus être poursuivi.

défaut (valeur par) Valeur prise par une variable ou un attribut lorsque aucune valeur particulière n'est spécifiée.

document Unité de base d'un site Web. Il est entièrement contenu dans un fichier HTML.

domaine Nom officiel d'un ordinateur sur l'Internet. C'est ce qui est écrit immédiatement à droite du caractère @. Dans `internet@dummies.com`, le nom du domaine est `dummies.com`.

downloading Mot sans équivalent direct en français signifiant téléchargement *à partir* d'un serveur.

DTD (*Document Type Definition*) Document de base écrit en SGML contenant la définition des spécifications des balises HTML.

dynamique (routage) Méthode d'adressage utilisée sur l'Internet. Elle permet aux messages de toute nature de parvenir à destination en changeant éventuellement de parcours si une partie de la voie la plus directe n'est plus en état de fonctionnement.

e-mail Courrier électronique. Système d'acheminement de messages par l'Internet.

edu Suffixe d'une adresse électronique propre aux Etats-Unis réservé aux établissements d'enseignement et aux universités. Exemple : `mit.edu`.

en-tête Dans un document HTML, la section d'en-tête est représentée par tout ce qui se trouve à l'intérieur de la balise `<head>` ... `</head>`.

entité de caractère Représentation conventionnelle de certains caractères spéciaux extérieurs à l'alphabet ASCII vrai (128 combinaisons). Les entités de caractères sont couramment utilisées en France pour représenter nos caractères accentués. Leur forme générale est une courte description (3 à 5 lettres) du nom du caractère encadrée à gauche par un "&" et à droite par un ";". On utilise aussi une représentation numérique ressemblant à celle-ci où la désignation abrégée du caractère est remplacée par son code de représentation dans l'alphabet ISO-Latin-1.

externe (feuille de style) Feuille de style située dans un fichier externe par rapport au document HTML qui l'utilise.

FAQ (*Frequently Asked Question* ou Foire aux questions) Ensemble des questions les plus fréquemment posées. Les questions sont regroupées avec leurs réponses, postées et mises à jour dans la plupart des groupes de news. Avant de poser une question à la cantonade, il faut toujours vérifier si la réponse ne se trouve pas dans la FAQ appropriée. Faute de quoi, on court un grand risque de se faire **flamer** (voir ce mot).

fichier Collection d'informations considérée comme une unité de traitement par un ordinateur.

fichier (transfert de) Méthode utilisée pour échanger des fichiers d'un ordinateur vers un autre au moyen d'une *ligne* téléphonique ou d'un réseau, et ce selon un protocole particulier. Sur l'Internet, le moyen le plus utilisé s'appelle **FTP** (voir ce mot).

flamer Mot principalement utilisé sur les news de Usenet signifiant à peu près se faire couvrir de sarcasmes, voire d'injures. On pourrait le traduire par "se faire descendre en flammes".

folder (dossier, classeur) C'est sous ce nom qu'on désigne les répertoires d'un Macintosh.

formulaire Moyen de communication entre un serveur et un navigateur grâce auquel l'utilisateur pourra envoyer des informations sollicitées par le document HTML affiché.

fournisseur d'accès Entreprise commerciale disposant d'une connexion directe à l'Internet par l'intermédiaire de laquelle vous devez passer pour vous raccorder vous-même au Net lorsque vous ne disposez que d'une ligne téléphonique ordinaire.

FTP (*File Transfer Protocol*) Protocole de transfert de fichiers très largement utilisé entre sites raccordés à l'Internet.

GIF (*Graphics Interchange Format*) Format d'image défini initialement par CompuServe et maintenant très largement utilisé sur l'Internet et ailleurs. Par suite de problèmes de copyright, il est question, depuis quelques années déjà, de le remplacer par un nouveau format : PNG.

gov Suffixe d'une adresse électronique propre aux Etats-Unis réservé aux organismes gouvernementaux. Exemple : www.whitehouse.gov.

hardware Littéralement "quincaillerie". Désigne tout ce qui fait partie du matériel dans un système informatique. Opposé à **software** (logiciel). Le jeu de mot initial opposait *hard* (dur) à *soft* (doux).

hexadecimal Système de numération à base 16, représenté par les 10 chiffres décimaux et les six premières lettres de l'alphabet.

hiérarchique (structure) Type d'organisation d'un site Web dans laquelle certaines pages sont subordonnées à d'autres.

HTML (*HyperText Markup Language*) Langage dérivé de SGML utilisé pour coder les pages Web. C'est un langage à balises.

HTTP (*HyperText Transfer Protocol*) Protocole de transfert des pages Web entre clients et serveurs.

hypermédia L'ensemble des autres types de médias associés à l'hypertexte (images, sons, animations).

hypertexte Système de représentation et de diffusion d'informations par lequel on peut faire apparaître sous forme unitaire des documents éparpillés sur différents sites d'un même réseau.

icône Petite image représentant un programme ou un fichier dans un système graphique comme Windows ou le Macintosh.

image Comme son nom l'indique. Le format des images utilisées dans un document HTML est généralement GIF ou JPEG. Un troisième format, PNG, semble avoir du mal à trouver sa place.

image réactive Image divisée en plusieurs zones utilisée pour faciliter la navigation dans une page Web.

Internet Réseau regroupant des réseaux. A été lancé dans les années 70 sous le nom d'ARPA par le Department of Defense américain.

Internet Explorer Navigateur créé par Microsoft. La version la plus courante, début 2002, porte le numéro 5.5.

IP (*Internet Protocol*) Protocole utilisé sur l'Internet pour acheminer les informations sur le réseau.

ISDN (*Integrated Services Digital Network*) Réseau de transmission exploitant une technologie récente autorisant des débits élevés. En France, il s'appelle **RNIS** (voir ce mot).

ISO (*International Standards Organization*) Organisation mondiale ayant pour but de définir des normes dans différents domaines.

ITU (*International Telecommunications Union*) Nom de l'institution qui a remplacé l'ancien **CCITT** (voir ce mot).

Java Langage orienté objet indépendant de toute plate-forme créé par Sun Microsystems.

JPEG (*Joint Photographic Expert's Group*) Standard de représentation d'images utilisant des algorithmes de compression très efficaces mais introduisant une certaine perte de qualité. L'extension des fichiers d'image correspondante est JPG.

liaison Voir **lien**.

lien Plusieurs sens. En ce qui concerne les réseaux, synonyme de connexion. Pour le Web, lien logique entre plusieurs documents non nécessairement situés au même endroit.

Linux Système d'exploitation, créé en 1990 par Linus Torvalds, qu'on peut comparer à UNIX, à ce détail (important) près qu'il est gratuit.

liste Collection d'éléments de même nature présentés de façon à mettre en valeur ce type de relation. HTML reconnaît couramment trois types de listes : liste ordonnée (balise `<ol>` ... `</ol>`), liste à puces (balise `<ul>` ... `</ul>`) et liste de définitions (balise `<dl>` `<;;; </dl>`).

Lynx Navigateur fonctionnant en mode texte dont l'emploi n'est pas recommandable en raison de la nature essentiellement graphique des documents HTML.

Macintosh Famille d'ordinateurs personnels créée par Apple en 1984.

MacTCP TCP/IP pour le Macintosh. Son seul intérêt est de vous permettre de raccorder un Macintosh à l'Internet.

mailing list Liste de diffusion. Envoi automatique de messages à une série de destinataires abonnés dont les adresses électroniques sont énumérées dans une liste.

message Ensemble d'informations, généralement en forme de texte, envoyées d'une adresse électronique à une autre sur l'Internet.

mil Suffixe d'une adresse électronique propre aux Etats-Unis réservé aux établissements militaires. Exemple : `wsmr-simtel20@army.mil`.

MIME (*Multipurpose Internet Mail Extension*) Procédé permettant d'acheminer des fichiers binaires sur l'Internet au moyen d'un codage approprié.

miroir Serveur FTP sur lequel on trouve les mêmes fichiers que sur un autre site considéré comme le distributeur principal.

modem Modulateur-démodulateur. Dispositif électronique chargé de convertir des signaux électriques entre un ordinateur et une ligne téléphonique. Existe sous forme de carte à insérer dans un connecteur interne de l'ordinateur ou sous forme de boîtier externe qu'on raccorde généralement à la sortie série (RS232) de la machine. Caractérisé par son débit maximal exprimé en bits par seconde. On parle parfois (à tort) de *vitesse* à ce propos.

mot de passe Suite de caractères tenue secrète par un utilisateur au moyen de laquelle il s'identifie lorsqu'il se connecte sur un ordinateur particulier.

MPEG (*Motion Picture Expert's Group*) Type de fichier utilisé pour des animations vidéo et mettant en service des algorithmes de compression très efficaces (leur facteur de compression peut atteindre 200).

multimédia Association de texte, d'images, de sons et d'animations.

navigateur Voir **browser**.

navigation (barre de) Façon de présenter des liens hypertexte sur une seule ligne.

Netscape Editeur de logiciels principalement connu par son navigateur Netscape Navigator, le plus novateur en son temps. Il a largement contribué à la popularité du Web. Les gens de Netscape ont introduit des suppléments au langage HTML destinés à améliorer la qualité des présentations. Toutes ces modifications n'ont pas été homologuées par les autorités chargées de l'élaboration des standards (le W3C). Netscape a été finalement racheté par AOL.

Netscape Navigator Navigateur de Netscape. Sa dernière version, la 6.1, n'a pas soulevé un enthousiasme délirant de la part de la communauté du Web.

net Raccourci familier désignant l'Internet.

network Réseau.

news (groupe de) Regroupement de sujets ayant trait à un même thème. Les groupes de news (également appelés *forums*) sont articulés selon une arborescence de *hiérarchies.*

octet Groupe de huit bits constituant l'unité d'informations la plus petite directement adressable par la plupart des ordinateurs.

orpheline (balise) Elément HTML ne comportant pas de balise terminale.

page Unité d'information fictive utilisée sur le Web. Une page Web est censée représenter les informations pouvant être affichées sur un seul écran. Mais comme la taille des écrans est très variable, cette notion reste très floue.

pays (code) Suffixe de deux lettres d'une adresse Internet pour tous les pays autres que les Etats-Unis. `fr` représente la France, `ch` la Suisse, `uk` le Royaume-Uni (United Kingdom), etc.

PDF (*Portable Document Format*) Format de document créé par Adobe permettant une représentation précise du contenu d'un document et de sa mise en page.

Perl Langage d'écriture de scripts particulièrement utilisé pour l'écriture de scripts CGI.

PHP Autre langage de script, créé en 1994, plus simple que Perl et qui connaît un succès grandissant sur le Web, principalement pour le traitement des formulaires.

pied de page Partie terminale d'un document HTML dans laquelle on devrait trouver des informations d'identification de l'auteur. Faute de balise spécifique, on utilise généralement pour cela la balise `<address> ... </address>`.

plate-forme Synonyme d'ordinateur.

plugin Logiciel ajoutant de nouvelles fonctionnalités à un programme tel qu'un navigateur

RAM (*Random Access Memory*) Mémoire à accès aléatoire. C'est la mémoire vive de l'ordinateur, au sens large.

recherche (moteur de) Logiciel utilisé pour des recherches sur des serveurs de données, particulièrement sur les systèmes WWW.

relatif (chemin d'accès) Indique que toute l'arborescence du chemin d'accès n'est pas détaillée mais exprimée par rapport à une référence donnée (souvent représentée par la balise `<base>`). S'oppose à **absolu** (voir ce mot).

répertoire Partie d'une structure arborescente gouvernant l'organisation des fichiers d'un ordinateur.

robot Programme ayant pour objet de faire des recherches systématiques sur le Web afin d'y découvrir des sites Web.

ROM (*Read Only Memory*) Mémoire ne pouvant être utilisée qu'en lecture seule. On y loge, par exemple, les routines de base du système d'exploitation d'un ordinateur (le BIOS).

RNIS (Réseau numérique à intégration de services) Réseau créé par France-Télécom pour assurer de forts débits (supérieurs ou égaux à 64 kbps).

routeur Ordinateur destiné à assurer l'interconnexion de plusieurs réseaux utilisant éventuellement des standards différents.

RTC (Réseau téléphonique commuté). Le réseau téléphonique ordinaire.

script (langage de) Langage de programmation interprété. Le plus utilisé dans les pages Web est JavaScript (JScript chez Microsoft).

sécurité Sur un réseau, la sécurité consiste essentiellement à interdire l'entrée dans une machine à ceux qui n'y sont pas autorisés par l'administrateur du système.

serveur Ordinateur destiné à fournir un service à d'autres ordinateurs d'un réseau. Un serveur se connecte à un **client** (voir ce mot).

serveur Web Ordinateur chargé d'envoyer des pages Web à la suite de requêtes formulées selon le protocole http.

SGML (*Standard Generalized Markup Language*) L'ancêtre de HTML et de XML. Ensemble normalisé par l'ISO de définitions, de spécifications et de mécanismes de création destiné à faciliter la portabilité de la représentation de documents.

shareware Logiciel qu'on peut essayer avant de l'adopter. Lorsqu'on s'y décide, on est moralement obligé de verser une contribution, le plus souvent modeste, à l'auteur. Parfois appelé en français "partagiciel".

signet Mémorisation de l'URL d'une présentation Web à laquelle on a l'intention de revenir souvent. En anglais : *bookmark* ou *hotlist*. En France, Microsoft a décidé de traduire *bookmark* par "favori".

site Web Ensemble de pages organisées autour d'un sujet déterminé et possédant une adresse particulière sur l'Internet grâce à laquelle tout un chacun peut en consulter le contenu.

software Logiciel. Tout ce qui, dans un ordinateur, ne relève pas du matériel.

spider Littéralement : *araignée*. Programme explorant inlassablement le Web à la recherche de nouvelles pages à référencer. Parfois appelé *Webcrawler*. Voir *robot*.

style (feuille de) Ensemble de règles définissant la façon dont un document doit être mis en forme et affiché.

Stufit Programme de compression utilisé sur les Macintosh.

syntaxe (vérificateur de) Logiciel destiné à vérifier dans un document HTML si l'emploi des marqueurs est conforme à la syntaxe HTML.

TCP/IP (*Transmission Control Protocol/Internet Protocol*) Protocole de connexion utilisé sur l'Internet.

texte (fichier) Fichier ne contenant que du texte pur, sans formatage.

texte (mode) Appliqué à un navigateur, désigne un logiciel incapable d'afficher des images et dont le principal (sinon l'unique) représentant est actuellement Lynx. On dit parfois "mode caractère".

titre (d'un document HTML) Ce qui est créé par une balise <hn> où *n* peut être compris entre 1 et 6 par importance décroissante du titre.

UNIX Système d'exploitation soulevant les passions à défaut des montagnes. On peut, en toute objectivité, lui reprocher d'utiliser le langage de commande le plus abscons qui se puisse imaginer. Difficile, voire impossible, à utiliser par des profanes.

uploading Mot sans équivalent exact en français signifiant téléchargement *vers* un serveur.

URI (*Uniform Resource Identifier*) Classe d'objets identifiant des ressources du Web.

URL (*Uniform Resource Locator*) Façon de désigner une ressource de l'Internet au moyen d'une adresse électronique précédée d'un préfixe dépendant du type de la ressource concernée. Les navigateurs en font un large usage.

Usenet Ensemble de forums articulés en hiérarchies. Sorte de place publique électronique où chacun peut venir poser des questions, lancer des apostrophes et apporter des réponses que tous peuvent ensuite lire.

vignette Petite image placée dans une page Web. En cliquant dessus, on peut charger une image identique mais de taille supérieure, qui demande donc un temps de chargement plus long.

virus Parasite logiciel destiné à perturber le fonctionnement d'un ordinateur. Sur les Macintosh, on en compte une douzaine, alors qu'on en dénombre une dizaine de milliers sur les PC.

visualisation (logiciel de) Programme destiné à afficher des images numérisées.

Web Littéralement "toile d'araignée". En réalité, il s'agit du World Wide Web, système d'informations hypertexte et hypermédia.

Windows Système d'exploitation à fenêtrage créé par Microsoft pour les PC. La version la plus utilisée actuellement est Windows 98. La plus récente s'appelle Windows XP.

WinZip Programme de compression/décompression de fichiers tournant sous Windows.

World Wide Web Voir **Web**.

WYSIWYG (*What You See Is What You Get*) Terme utilisé pour décrire un traitement de texte qui affiche sur son écran le texte de la même façon qu'il sera imprimé. On a proposé pour le traduire en français : "tel écran, tel écrit".

XHTML (*eXtensible HyperText Markup Language*) Reformulation de HTML en tant qu'application de XML.

XML (*eXtensible Markup Language*) Système de définition, de validation et de partage de formats de documents.

Yahoo! Serveur de recherche sur le Web accessible par l'URL `http://www.yahoo.com`. Est implanté en France depuis plusieurs années sous l'URL `www.yahoo.fr`.

ZIP (fichier) Ensemble de fichiers compressés à l'aide du programme PKZIP ou WINZIP (peut ne contenir qu'un seul fichier). Le décompactage s'effectue avec PKUNZIP ou WINZIP.

Annexe C
Les outils logiciels du commerce

*L*es éditeurs spécialisés en HTML ont pour but de faciliter la création des pages Web mais cela ne veut pas dire qu'il s'agit du seul outil dont vous ayez besoin pour publier votre site et en assurer la maintenance. En réalité, il vous en faut toute une panoplie : ce que les pros du Web appellent la "boîte à outils du webmaster". Vous aurez aussi besoin d'un logiciel client FTP pour télécharger vos fichiers HTML sur le serveur Web qui va les diffuser. Peut-être aussi d'outils de validation et de vérification de la syntaxe HTML. Dans cette annexe, nous allons passer en revue les plus récents outils pouvant intéresser l'auteur Web, et vous recommander ceux que nous estimons être les meilleurs.

Souvenez-vous que les éditeurs distribués sous forme de shareware ne sont pas aussi fonctionnels que leurs équivalents commerciaux qui coûtent bien plus cher. Si vous écrivez beaucoup de HTML et devez gérer un site de grande taille (ou plusieurs sites), vous devez envisager sérieusement d'investir dans un éditeur susceptible de prendre en compte différentes tâches. La plupart des grands éditeurs (maisons d'édition), comme Macromedia, Adobe, Symantec et Microsoft, occupent le terrain depuis longtemps et leur panoplie d'outils HTML est importante.

Les éditeurs HTML

Les éditeurs HTML ne sont que des outils comme n'importe lequel de ces outils que vous avez l'habitude d'utiliser. Un éditeur HTML ne peut pas remplacer le savoir-faire. Un éditeur HTML n'est qu'un assistant qui vous permet de mettre vos connaissances en pratique. Comme les éditeurs HTML semblent s'être multipliés comme des champignons après la rosée du matin, voici quelques indications pour choisir le meilleur.

Au minimum, un éditeur HTML doit :

- Etre facile à comprendre et à utiliser.

- Offrir une prévisualisation de ses résultats sans le recours à un navigateur extérieur.

- Reconnaître toutes les balises HTML 4.

- Etre mis à jour au fur et à mesure des changements de HTML.

- Permettre la création d'images réactives.

- Vérifier l'exactitude des liens locaux.

- Permettre la validation du code HTML et disposer d'un vérificateur d'orthographe[1].

- Vous permettre de voir et de modifier le code HTML qu'il a généré.

Un *très bon* éditeur HTML doit, en outre, être capable de :

- Fournir des informations sur la structure du site.

- Autoriser une mise en place au pixel près sur chaque contrôle et sur le texte.

- Permettre la création et l'utilisation des feuilles de style.

- Reconnaître XML et en assurer le support.

- Permettre l'écriture de scripts CGI et JavaScript et d'applets Java.

Il existe deux espèces d'éditeurs HTML : ceux qui ne font qu'apporter une certaine aide dans l'écriture des balises et ceux qui sont

---

[1] En raison du large usage des entités de caractères auquel nous obligent nos signes diacritiques, nous avons déjà expliqué que cette exigence était difficile à satisfaire pour les francophones. (N.d.T.)

WYSIWYG. Les premiers ne font que vous assister et vous laissent une partie du travail. Généralement, ils affichent le code HTML brut en allant parfois jusqu'à utiliser pour cela des couleurs différentes afin de vous aider à distinguer les balises parmi le texte. Ils proposent parfois un vérificateur d'orthographe spécialisé en HTML, capable de reconnaître les balises et de ne pas les signaler comme des mots inconnus. Ils peuvent aussi avoir des fonctions supplémentaires destinées à faciliter la création des pages Web. A notre avis, aucune boîte à outils de webmaster n'est complète sans un de ces assistants.

Les seconds (WYSIWYG signifie *what you see is what you get*, littéralement : "ce que vous voyez est ce que vous obtiendrez", qu'on traduit parfois par "tel écran, tel écrit") ne vous montrent que le résultat, vous cachant toute leur cuisine HTML. Bien qu'ils vous facilitent la vie et peuvent vous épargner des heures de codage, une fois de plus nous insistons pour que vous ne les laissiez pas entièrement maîtres de la situation. Utilisez-les plutôt pour dégrossir le travail — par exemple, pour créer un tableau complexe — et préférez votre assistant pour les travaux de finition.

Logiciels pour auteurs Web tournant sous Windows

Certains des systèmes que nous avons analysés apparaissent comme étant bien construits et présentant peu de bugs, mais nous pensons qu'il est bien plus amusant de parler de ceux qui recèlent quelques défauts plus ou moins cachés. Vous allez trouver dans les sections qui suivent une analyse des outils d'édition HTML pour Windows que nous pensons être les meilleurs de leur catégorie.

Dreamweaver

A la différence de bien d'autres éditeurs HTML, Dreamweaver est relativement récent sur le marché. Apparu pour la première fois en 1998, il est devenu rapidement un outil professionnel de choix pour le développement Web. Les gens de chez Macromedia (la maison d'édition qui l'a créé) ont cherché quels étaient les besoins des auteurs Web reconnus et ont ensuite créé un produit répondant à ces besoins. Dreamweaver est un outil WYSIWYG qui va plus loin que HTML, puisqu'il permet de construire des pages en DHTML (*Dynamic HTML*), même si vous ne connaissez pas le b.a. ba de l'écriture des scripts. Pour avoir une première idée de ce qu'on peut faire avec cet outil, allez voir le site Web http://www.dhtmlzone.com, et tout particulièrement sa partie didacticielle.

Avec Dreamweaver 4 (version 5 imminente à l'heure où nous publions cet ouvrage), Macromedia va encore plus loin puisqu'il supporte XML et propose des outils de gestion de sites améliorés. C'est un logiciel de choix pour le concepteur de sites Web. Ses boîtes de dialogue sont faciles à comprendre, leur maniement est simple et permet aux auteurs d'utiliser des feuilles de style sans même savoir ce qu'est une règle de style.

Bien que Dreamweaver soit WYSIWYG, il est accompagné d'un autre outil populaire d'édition Web : Homesite d'Altair. C'est un assistant de haut niveau qui vous permet de manipuler le code HTML et de gérer votre site Web. Cet éditeur est riche de possibilités convenant à la fois au débutant et au pro. Vous éditez HTML directement et vous avez immédiatement une vision de ce que ça donnera sur l'écran d'un navigateur, rien qu'en cliquant sur un bouton.

Homesite colore les balises HTML pour vous faciliter le travail d'édition. Il utilise largement le glisser/déposer et les menus contextuels (appelés du bouton droit de la souris). Le vérificateur d'orthographe intégré et les fonctions globales de recherche et de remplacement peuvent vérifier et mettre à jour des projets entiers, tous répertoires et fichiers confondus. Vous pouvez utiliser une visionneuse pour afficher des vignettes représentant les images stockées dans des bibliothèques entières sans sortir de l'éditeur.

Homesite permet de personnaliser les barres d'outils et les menus. Ajoutez-y un système d'aide en ligne très poussé concernant non seulement HTML mais aussi des langages de script populaires et vous aurez une vue impressionnante de ce qu'il sait faire. Mais il y a encore plus. Homesite vous aide dans la gestion d'un projet, vérifie l'exactitude des liens, valide vos pages Web et peut les télécharger sur votre service d'hébergement.

Avec un tel bilan, vous pensez bien que ce logiciel n'est pas donné. Début 2002, la version 4 est proposée en France à 216 ¤ (voir la page Web à l'URL `http://www.macromedia.com/fr/software/dreamweaver/product_resources/`. Si vous n'êtes intéressé que par Homesite, consultez `http://www.macromedia.com/software/homesite/`.

FrontPage 2002

FrontPage est un logiciel dédié à la création et à la gestion des sites Web. Acheté par Microsoft en janvier 1996 à Vermeer Technologies, il est devenu depuis le logiciel de pages Web le plus utilisé sur l'Internet.

Chaque site Web est ici contenu dans son propre dossier de projet, ce qui permet de travailler sur plusieurs projets à la fois sans risquer de mélanger les pages. Des fonctionnalités poussées de glisser/déposer vous permettent de transporter des fichiers issus de Microsoft Office dans l'Explorateur FrontPage. Vous pouvez aussi déplacer des liens hypertexte, des images ou des tableaux dans l'Editeur. Grâce à Verify Links, vous vérifiez automatiquement la validité des liens, qu'ils soient internes ou externes par rapport au site en cours de réalisation. Il peut même aller jusqu'à corriger les liens internes erronés. FrontPage peut communiquer avec des bases de données. Ajoutez-y le support des contrôles ActiveX et des applets Java, la création de scripts en VBScript et en JavaScript, les cadres et les tableaux et la version Microsoft de DHTML, et lorsque vous saurez que toutes les balises de HTML 4.0 sont reconnues, vous aurez un tableau complet de ce qu'il sait faire.

Mais ce n'est pas tout. Dans le FrontPage Bonus Pack, vous trouvez un puissant éditeur d'images, Image Composer, pouvant servir à créer et à éditer des images pour les documents Web. Ce logiciel contient environ 500 outils et effets divers, et il est compatible avec les plugins de Photoshop comme les Kai's Power Tools de MetaTools. Image Composer contient plus de 600 images libres de droits. Si cela ne vous suffit pas, vous pouvez télécharger le programme Gif Animator qui sert à la création d'images animées.

FrontPage 2002 est capable d'utiliser les outils de Microsoft Office tels que le vérificateur d'orthographe, le système global de recherche/remplacement et le Thesaurus Microsoft. Pour en savoir davantage, consultez le site Web de Microsoft à l'URL `http://www.microsoft.com/frontpage`.

HotDog Express

HotDog Professional est un logiciel édité par une entreprise qui se fait appeler Sausage[2] Software. Il existe actuellement deux versions : la version "Pro" (99,95 dollars), plus riche en gadgets divers, et la version "Junior" (39,95 dollars), néanmoins très complète et que certains préfèrent.

Pour en savoir davantage, consultez le site Web de HotDog à l'URL `http://www.sausage.com`.

---

[2]   *Sausage* signifie *saucisse*. (N.d.T.)

Logiciels pour auteurs Web tournant sous Macintosh

De nombreux sites Web vous proposent en téléchargement un ensemble pléthorique d'excellents logiciels pour auteurs Web. Presque tous sont accompagnés d'une documentation plutôt bonne et certains disposent même d'une aide locale sous forme de "ballons" ou d'infobulles. (Pour ceux qui ne le savent pas, ce système consiste en de petits phylactères qui surgissent lorsque vous promenez votre souris sur certaines zones de l'écran.) L'apprentissage de ces outils logiciels est facile, car ils mettent en œuvre des modèles familiers de traitement de texte Mac et le système de menus propres à cette plate-forme.

Dreamweaver

Ce logiciel est le même que celui qui existe sous Windows et nous l'aimons bien. Tout ce que nous avons dit au sujet de sa version Windows est valable pour le monde Macintosh.

Son compagnon d'édition est BBEdit, le plus populaire des éditeurs de texte de l'environnement à la pomme. Véritable légende dans le monde Macintosh, il est l'outil préféré des passionnés de programmation. Il colore les balises, gère l'ensemble d'un site Web, effectue la validation des documents HTML, peut vérifier l'orthographe et plus encore. Il peut être lancé directement depuis Dreamweaver, et tous les changements que vous ferez dans l'un des deux logiciels seront automatiquement répercutés dans l'autre. Cette étroite parenté est l'une des raisons qui justifient la grande popularité dont il jouit parmi les gourous du Web adeptes du Mac. Si vous appréciez déjà la puissance et la souplesse de BBEdit, alors, vous aimerez Dreamweaver.

Pour en savoir davantage, consultez le site Web de Macromedia à l'URL http://www.macromedia.com/software/dreamweaver.

BBEdit Lite

Comme son nom l'indique, BBEdit Lite est une version limitée du BBEdit dont nous venons de parler dans la section précédente. Edité par Bare Bones Software, il est livré avec un ensemble de compléments qui lui permettent de reconnaître les balises HTML et de faciliter le développement d'un site Web.

Ces extensions sont assez complètes et l'ensemble constitue un système auteur estimable pour qui veut créer et gérer un site Web. Les deux ensembles d'extensions s'appellent BBEdit HTML Extensions (créé par Charles Bellver) et BBEdit HTML Tools (créé par Lindsay Davies). Elles sont fournies en même temps que BBEdit Lite, si bien que vous n'avez pas besoin de les installer a posteriori.

BBEdit Lite fera de vous un adepte du mode de vie BBEdit, et nous sommes sûrs que vous en viendrez bientôt à acquérir et à utiliser la version complète. Vous pouvez télécharger BBEdit Lite à partir du site Web http://www.barebones.com.

Contrôles et validations de pages Web

Lorsque vous avez fini d'écrire vos pages Web, votre travail n'en est pas pour autant terminé. Tout au moins si vous voulez éviter d'être la risée du Web. Avant que tous les outils que nous allons vous présenter n'existent, une faute de frappe dans un mot ou une balise ou encore un lien rompu étaient acceptables, mais maintenant vous n'avez plus aucune excuse pour de telles boulettes. Avant de publier vos pages, vous devez effectuer trois vérifications importantes :

- ✔ La validation du HTML.
- ✔ Le contrôle des liens vers les autres pages.
- ✔ La vérification de l'orthographe.

Il existe beaucoup d'outils logiciels pour accomplir ces tâches et certains sont même disponibles gratuitement sur le Web, soit en tant qu'outils autonomes, soit en étant intégrés à un éditeur HTML.

La validation du code HTML

La majorité des navigateurs sont d'une nature plutôt tolérante, au point que, généralement, ils ne demandent même pas que la balise <html> existe réellement dans un document HTML. Ils ne s'intéressent qu'à l'extension .htm ou .html pour identifier un document qu'ils puissent exploiter. Cependant, ce n'est pas une raison pour négliger toute vérification. Le jour approche où les navigateurs se montreront plus soucieux de correction syntaxique (merci XML et XHTML !).

Beaucoup d'éditeurs HTML sont capables d'effectuer la validation du code HTML et, de ce fait, il n'existe pas tellement d'outils autonomes pour cette tâche. De son côté, le W3C met à la disposition de la communauté un "validateur" accessible à l'URL http://validator.w3.org. A vous de choisir la DTD qui convient à vos pages HTML ou XHTML. Les résultats peuvent vous être fournis sous plusieurs formes : rapport laconique, qui ne vous indique que les numéros des lignes défaillantes suivis d'une brève description de l'erreur, ou rapport verbeux, qui va plus loin dans les détails pour chaque erreur décelée et peut même contenir des pointeurs vers l'information corrélative de la spécification HTML.

Et les fôtes d'ortograffe ?

La vérification de l'orthographe concerne plusieurs points. D'abord l'écriture des balises, dont les noms ne sont reconnus ni par le Larousse ni par Le Robert. Les vérificateurs sérieux savent tenir compte de ces détails et ne tester que le texte lui-même. Mais il reste les entités de caractères. Et ce dernier inconvénient est sans doute le plus sérieux pour nous autres, Français. La solution consiste peut-être à écrire directement les caractères accentués et autres tels quels, à vérifier l'orthographe de l'ensemble et à effectuer seulement ensuite la conversion en entités. Quoi qu'il en soit, ici aussi, il existe peu de logiciels de vérification orthographique autonomes, la plupart d'entre eux étant inclus dans un éditeur HTML.

Les auteurs recommandent un outil de vérification appelé Doctor HTML dont l'URL est `http://www2.imagiware.com/RxHTML/`. Vous lui indiquez l'URL de votre page et il vous renvoie le résultat de sa vérification. Malheureusement, il ne connaît que la langue anglaise, ce qui fait qu'il vous indique un grand nombre d'erreurs si vous lui soumettez une page écrite en français.

Test des liens

Si les fautes d'orthographe sont embarrassantes dans une page Web, sachez qu'il y a pire : les liens rompus. Ce sont précisément eux qui font que le Web est ce qu'il est, et le message d'erreur `404 Object Not Found Error` est de nature à rebuter la majorité de vos visiteurs. Encore pire, si ce lien pointe sur une de vos pages. Vous ne pouvez pas être tenu pour responsable de sites extérieurs inaccessibles ou ayant disparu, mais vous êtes le seul à incriminer si vous n'êtes même pas capable de tester vos propres liens.

Comme pour les autres rubriques que nous venons de voir, la plupart des éditeurs HTML contiennent un module de vérification de liens internes et parfois externes, pour peu, dans ce dernier cas, que vous soyez connecté au moment du test.

Il existe un grand nombre de scripts ou d'utilitaires sur le Web pour accomplir cette tâche de vérification. MOMSpider a été l'un des premiers contrôleurs de liens à être mis à la disposition des auteurs Web. Le problème, c'est que pour le configurer correctement, il faut connaître Perl ! Maints fournisseurs d'accès ont ce programme ou son équivalent accessible sur leur machine, et pourront peut-être le mettre à votre disposition pour un coût mensuel minime.

Pour en savoir davantage sur MOMSpider, visitez son site officiel à l'URL http://www-old.ics.uci.edu/pub/websoft/MOMspider/.

Un testeur universel : Web-Site Garage

Nous avons récemment découvert un site Web qui peut venir grossir avec profit votre arsenal de tests : Web-Site Garage. A notre avis, c'est un joyau dont vous ne pouvez pas vous passer. Il teste votre code HTML, votre orthographe (anglaise, bien sûr), le temps de chargement de vos pages et bien d'autres aspects de la mécanique qui se tapit sous le capot de votre site Web. Il analyse chaque page et marque le code susceptible de causer des erreurs potentielles avec certains navigateurs. Il indique aussi les images dont la taille pourrait être réduite. Vous pouvez savoir quel est le temps de chargement demandé par une page particulière selon le type de connexion mise en œuvre par vos visiteurs. Il vous dira si vos pages sont ou non accessibles. Visitez son site à l'URL http://websitegarage.netscape.com/.

Autres utilitaires pour le Web

Vous pouvez quelquefois trouver des utilitaires pour le Web à des endroits où vous n'auriez jamais soupçonné qu'ils puissent exister. Votre traitement de texte, par exemple, peut cacher un éditeur HTML ou, tout au moins, un convertisseur. D'autres logiciels de mise en page ou de gestion de base de données peuvent receler des fonctionnalités HTML, même si leur principal but n'est pas de créer des documents HTML. Il existe aussi des programmes dont le rôle est de convertir n'importe quel format de fichier (RTF, par exemple) en n'importe quel autre (pourquoi pas HTML ?). Bien que vous puissiez vivre sans qu'ils figurent dans votre boîte à outils de webmaster, vous serez sans doute content de les avoir sous la main en telle ou telle occasion.

Utiliser un traitement de texte en guise d'éditeur HTML

Si vous êtes un utilisateur convaincu de Word ou de WordPerfect, vous pouvez tester leur capacité à éditer du code HTML et à gérer un site Web. Ces fonctionnalités ne sont pas négligeables, mais elles ne se situent pas au même niveau que celles des outils logiciels spécialisés. Mais si vous savez déjà vous servir de ces traitements de texte, ça ne coûte rien de les essayer en dehors de leur rôle principal.

Souvenez-vous, cependant, qu'un traitement de texte peut créer du code HTML pas très standard, imprévisible et pour le moins très alambiqué. Si vous possédez de longs documents créés avec votre traitement de texte favori et que vous souhaitez les mettre sur le Web, c'est un outil de conversion à ne pas négliger, tout au moins pour une première étape. Mais, dans presque tous les cas, il faudra effectuer un sérieux travail de finition avec un éditeur HTML spécialisé.

Filtres et convertisseurs de fichiers pour Windows

Parmi la horde d'éditeurs HTML, de traitements de texte et de logiciels de mise en page, il en existe plusieurs susceptibles de convertir n'importe quel format (ou presque) en HTML facilement et rapidement. Par exemple, si vous utilisez Word sous Windows, ouvrez simplement un document Word standard et sauvegardez-le en format HTML avec la commande Fichier/Enregistrer sous...

HTML Transit est un logiciel de conversion édité par InfoAccess, Inc. (anciennement OWL International) qui sait lire la structure d'un document sauvegardé sous de nombreux formats de traitement de texte et en reconnaître les éléments principaux : en-têtes, titres et sous-titres, puces, images, etc. Il crée ensuite un modèle de structure d'après ce qu'il a reconnu et s'en sert comme base de départ pour une génération automatique de documents HTML. Bien que son coût soit loin d'être négligeable, il se peut qu'il soit précisément le programme que vous attendiez pour vos applications particulières. Visitez son site Web à l'URL http://www.infoaccess.com.

Index

Attributs

Titre	ISBN	Code
Access 2002 Poche pour les Nuls	2-84427-253-3	65 3297 2
C++ Poche pour les Nuls	2-84427-312-2	65 3338 2
Dreamweaver 4 Poche pour les Nuls	2-84427-945-7	65 3197 4
Excel 2000 Poche pour les Nuls	2-84427-964-3	65 3229 5
Excel 2002 Poche Pour les Nuls	2-84427-255-X	65 3299 8
Flash 5 Poche pour les Nuls	2-84427-942-2	65 3202 2
HTML 4 Poche pour les Nuls	2-84427-321-1	65 3363 2
IMac Poche pour les Nuls (3ᵉ édition)	2-84427-320-3	65 3362 4
Internet Poche pour les Nuls	2-84427-936-8	65 3198 2
Java 2 Poche pour les Nuls	2-84427-317-3	65 3359 0
Linux Poche pour les Nuls	2-84427-313-0	65 3339 2
Mac Poche pour les Nuls	2-84427-944-9	65 3196 6
Mac OS X Poche pour les Nuls	2-84427-264-9	65 3308 7
Office XP Poche pour les Nuls	2-84427-266-5	65 3310 3
Pages web Poche pour les Nuls	2-84427-943-0	65 3195 8
PC Poche pour les Nuls	2-84427-939-2	65 3201 4
Photoshop 6 Poche pour les Nuls	2-84427-254-1	65 3298 0
Réseaux Poche Pour les Nuls	2-84427-265-7	65 3309 5
Unix Poche pour les Nuls	2-84427-318-1	65 3360 8
Visual Basic 6 Poche pour les Nuls	2-84427-256-8	65 3300 4
Windows Me Poche pour les Nuls	2-84427-937-6	65 3199 0
Windows XP Poche pour les Nuls	2-84427-252-5	65 3296 4
Word 2000 Poche pour les Nuls	2-84427-965-1	65 3230 3
Word 2002 Poche Pour les Nuls	2-84427-257-6	65 3301 2

Achevé d'imprimer par Corlet, Imprimeur, S.A. - 14110 Condé-sur-Noireau (France)
N° d'Imprimeur : 58308 - Dépôt légal : avril 2002 - *Imprimé en U.E.*